U0906023

Yilin Classics

GUSTAVE LE BON

经/典/译/林

Psychologie des foules

乌合之众

[法国] 古斯塔夫·勒庞 著

李焰明 译

译林出版社

图书在版编目（CIP）数据

乌合之众 /（法）古斯塔夫·勒庞著；李焰明译．
—南京：译林出版社，2023.7（2024.2重印）
（经典译林）
ISBN 978-7-5447-9731-3

Ⅰ.①乌… Ⅱ.①古… ②李… Ⅲ.①群众心理学－研究 Ⅳ.①C912.64

中国国家版本馆 CIP 数据核字（2023）第 084417 号

乌合之众 ［法国］古斯塔夫·勒庞／著 李焰明／译

责任编辑 张海波
特约编辑 陈秋实
装帧设计 孙逸桐
校 对 梅 娟
责任印制 董 虎

原文出版 Felix Alcan, 1905
出版发行 译林出版社
地 址 南京市湖南路 1 号 A 楼
邮 箱 yilin@yilin.com
网 址 www.yilin.com
市场热线 025-86633278
排 版 南京展望文化发展有限公司
印 刷 江苏凤凰盐城印刷有限公司
开 本 880 毫米 ×1240 毫米 1/32
印 张 5.625
插 页 4
版 次 2023 年 7 月第 1 版
印 次 2024 年 2 月第 2 次印刷
书 号 ISBN 978-7-5447-9731-3
定 价 35.00 元

Psychologie des foules

Gustave Le Bon

据Felix Alcan出版社1905年第9版译

CONTENTS · 目录

第三卷 不同群体的分类和描述

序

我在前一部书*里专门描写了种族心理。本书将研究群体心理。

出于遗传的原因，每个种族里的每个人都具有某些共同特征，它们组合起来构成了该种族的心理。当其中的一部分人团结起来行动时，我们通过观察发现，仅这一聚集行为便会使这些人产生一些新的心理特征，它们与种族特征重合，但有时又与其截然不同。

有组织的群体在民族生活中始终扮演着重要角色，而这角色从未像现在这般重要。群体的无意识行动取代个体的有意识活动，这是当今时代最重要的特征之一。

我曾试图用纯科学方法，即在努力找到一种方法的同时对所有观点、理论和学说置之不理，来讨论群体的难题。我认为这是发现某些真理的唯一办法，尤其是像现在：我们谈论的是一个大家都非常感兴趣的问题。作

* 即《民族进化的心理定律》（*Lois psychologiques de l'évolution des peuples*, 1894）。——编注

为学者，如果想证明某一现象，那就不必考虑其结论可能会触犯到的那些利益。著名思想家戈布莱·达尔维拉先生在最近发表的一篇文章中提到我，说我不属于任何当代流派，有时还反对所有学派的某些结论。我希望我正在做的这项新研究值得这样的评价。属于一种学派，必然会受该学派的偏见和成见的影响。

不过，我必须向读者解释他为何发现我的结论与人们乍一看所得出的结论完全不是一回事。比如，我发现群体在精神上具有低劣性，包括精英群体；但我同时又说，尽管如此，干涉其组织是一件十分危险的事。

这是因为我对历史事实做了细心的观察。我每次都发现，社会组织同人的结构一样复杂，我们根本不可能让它们猛然承受深刻的改造。大自然有时是武断的，但绝不会像我们认为的那样，所以嗜好深刻变革对一个民族来说是最可怕的事之一，无论这些变革从理论上看多么绝妙。如果这些变革能即刻改变民族心理，那它们就不是有益的——唯有时间拥有此能力。人类只受观念、情感和习俗这些存在于我们内心深处之物的支配。制度和法律反映了我们的心理，是心理需求的表达。它们源自人的心理，因而无法改变心理。

社会现象存在于民族中，对其研究离不开民族研究。从哲学上讲，这些现象可能有某种绝对价值，但在实践上只有相对价值。

因此，在研究某个社会现象时，我们必须从两个完全不同的视角审视它。这样我们就会发现，纯粹理性之教诲与实践理性之教诲常常是背道而驰的。这种矛盾性适用于所有材料，甚至物质材料。从绝对真理的角度看，一个方块，一个圆，都是被一些公式严格界定的不可改变的几何形体。从我们肉眼的角度看，这些几何形体可能具有完全不同的形状。因为透视法可以将方块变成锥形或方形，将圆变成椭圆或直线。这些虚构的形状比真实的形状更值得我们去研究，因为它们才是我们肉眼所见的东西，是照片和绘画可以再现的。非现实在某些情形下比现实更真实。用精确的几何形状画物体会扭曲本质，使其变得叫人无法辨认。我们可以想象这样一个世界：居民只能复制物体或给物体拍照却不能触碰它们，那他们就很难对物体的形状有正确的概念。如果一个物体的形状只被少数学者了解，那么它也不会有过多价值。

研究社会现象的哲学家应该牢记，除了理论价值，社会现象还具有实践价值，从文明发展的角度来看，唯有后者具有一定的重要性。一旦哲学家觉察到这样的事实，他们就会极其谨慎地对待那些定律强加于他的结论。

他的这种审慎态度还别有原因。社会现象如此复杂，要想全面了解是不可能的，它们之间相互影响的后果也是无法预料的。可见现象的背后有时似乎隐藏着不计其数看不见的缘由。可见社会现象仿佛一股强大的无意识作用产生的结果，对它们做理性分析往往是无用之功。我们可以把可见现象比作海面波浪，涌动的海浪让我们想到这片海域暗藏着我们所不知的海底风暴。观察群体，我们发现他们的大部分行为常常显现出群体极其低劣的心理。但也有一些行为，群体似乎受到某些神秘力量的操纵。古人称之为命运、本性、天意，我们称之为死亡之声。虽然我们还不了解这些神秘力量的本质，但绝不可以轻视其威力。民族内部有时似乎也存在着一些操纵着群体的潜在力量。比如有什么东西比一门语言更复杂、更合乎逻辑、更美妙呢？语言这东西，结构严密，意义微妙，如果不是出自群体无意识心理，又来自何处？学术性最高的科学院、最受人尊敬的语法学家只能勉强将那些语言规则记录下来，根本无法将它们创造出来。甚至包括伟人的绝妙思想，我们能断定它们都出自他们自己的头脑吗？也许它们是由孤独者创造的，可是，思想得以萌芽的这片土壤是由无数尘埃积淀而成的，群体的心理不就是这些尘埃吗？

群体或许总是无意识的，但这种无意识本身可能就是群体强大的一个秘密。在大自然中，只服从本能的生物，它们的某些动作出奇的复杂，令人惊叹。理性是新近出现在人类中的东西，还太不完美了，无法向我们揭示无意识的规律，更不可能取而代之。在我们的所有举动中，无意识所占比重很大，而理性则极小。无意识作为一种尚且不明的力量在起着作用。

因此，如果我们希望停留在狭隘的但真实的范围内，徘徊于模糊的推测和大胆的假设领域之外，那么我们只好观察肉眼可见的现象，并且局限于观察得出的结论。我们观察得出的所有结论往往都是仓促的，因为在我们所见的现象背后，还有我们看不清的东西，甚至或许，在这些看不清的事物后面，还有我们看不见的东西。

导 言

群体时代

当今时代群体的演变/文明的巨大演变导致民众思想的转化/近代对群体力量的信仰/此信仰改变了各国的传统政治/大众阶层是如何登场的，其威力又是如何彰显的/群体力量的必然结果/群体只扮演毁灭者的角色/群体导致了过于陈旧的文明的解体/对群体心理学的普遍无知/群体研究之于立法者和政治家的重要性。

文明演变之前的那些巨大动荡，比如罗马帝国的灭亡和阿拉伯帝国的建立，乍看似乎起因于一些重大政治变革，如外族入侵或王朝覆灭。然而，在对这些事件进行更为仔细的研究后，我们发现，这些只是表面上的理由，其后往往暗藏着真实的原因，那就是民众的思想发生了深刻的变化。真正的历史动荡并不是那些以广度和强度令我们震惊的历史事件。唯有那些能引发文明更迭的事件才是巨大变革，而它们都发生在思想、观念和信仰中。

难忘的历史事件都是人类思想中不可见变化之可见结果。那些重大历史事件之所以难得显现，是因为在一个种族中，没有比世代相传的内心思想更稳定的东西了。

当今时代正处于一个关键时刻：人类思想正在发生演变。这一演变基于两个根本因素：一是人类文明的所有要素赖以生存的宗教、政治和社会信念被颠覆了；二是由于现代科学和工业的种种发现，人们得以创造全新的生存条件，创立新的思想。

过去的思想虽然已经被部分破除了，但仍然十分强大，而替代它们的思想尚未形成，当今是一个过渡和无政府状态时期。

这个时期必然会有些混乱，说不准哪天会发生什么。未来社会将以什么样的根本思想为基础？我们还不知道。但从现在起，我们很清楚，建立未来社会，必须对一股新的力量——也是现时代最强势的力量——加以重视：群体的力量。

众多昔日被认为正确的思想如今已消亡，众多政权也相继被革命摧毁，而在这些废墟之上，唯有这股力量在上升，并且似乎马上就要吞没所有其他事物。当我们的一切古老信仰摇摇欲坠、正在消失时，当旧的社会支柱相继崩塌时，唯有这种力量无惧任何威胁，其威力有增无减。我们正在进入的确实是**群体时代**。

将近一个世纪前，各国传统政治以及君主之间的对抗是导致所有事件的主要因素。群体的意见几乎不受重视，甚至往往微不足道。如今，传统政治、君主的个人倾向以及他们之间的对抗不再重要，群体的声音反而成为主流，支配着君主的行为，他们会尽力听取民众的意见。民族的命运不再取决于君主的意愿，而是群体的心理。

大众阶层出现在政治生活中，其实就意味着他们逐渐成为领导阶级，这是我们现今转折期最突出的特征之一。大众阶层登上政治舞台的表现，其实不是普选，普选在很长时间里都起不了什么作用，一开始就容易被操纵。群体力量是逐渐产生的，起初是因为某些思想的传播，渐渐扎根于人的头脑里，而后通过个体逐步结成社团，从而将抽象概念变成具体行动。群体通过协作最终形成思想（这些思想即便不是十分正确，至少也是坚决维护其利益的），并意识到自己的力量。他们创立协会，令所有政权相继让步；他们还成立劳工联合会，这些组织无视经济法规，争取权力决定自己的劳动条件和工资待遇。他们向政府议会派出一些代表，这些人既无任何法案创制权，也无任何独立性，常常只是为他们的推选委员会充当代言人。

如今，群体的诉求越来越清晰。这些诉求只有一个目的，那就是彻底摧毁现有社会根基，重返原始共产主义——文明诞生之前所有人类群体的正常状态。限制劳动时间，剥夺矿产、工厂和土地的所有权，平均分配所有产品，消灭所有社会上层，维护大众阶层的利益，等等。这些就是群体的诉求。

群体极其缺乏推理能力，却非常适合行动。通过现行组织，他们的力量变得无穷大。我们所见的那些新信条很快就会拥有古老信条的威力——那不容争辩的专横统治权。群体的超然权利将取代君王的神圣权利。

那些维护有产阶级利益的作家完美地诠释了有产阶级的特征：思想有些狭隘，目光有些短浅，怀疑论不够深刻，常常自私得有些过头。面对茁壮成长的新生力量，他们彻底慌了，为了遏制思想的混乱，他们绝望地求助于过去曾藐视的教会之道德力量。他们跟我们谈论科学的失败，从罗马忏悔回来后要我们去遵从已发现的真理之教诲。但是，这些新皈依者忘了，现在已为时过晚。即便上帝的恩泽真的还能触动他们，对某些人也并不具有同样的效果，因为群体并不关心困扰这些新教徒的种种忧虑。如今，群体再也不需要他们过去就不想要同时想要竭力消灭的那些神了。无论是神力还是人力都不可能使河水倒流。

科学大厦没有倒塌，而且它并非一无是处。无论是在当前的思想混乱中，还是在新的力量趁着慌乱不断壮大的情形下，它承诺要给我们真相，或者至少教给我们那些我们的智力能够理解的各种关系之知识。它从未向我们承诺和平与幸福。它对我们的情感毫无兴趣，听不见我们的哭泣。我们得好好跟它相处，因为任何东西也带不回那些被它赶跑的幻想。

存在于各民族的普遍现象向我们显示，群体力量在迅速增长，我们不敢冒昧假设这一力量很快就会停止增长。无论它给我们带来什么，我们都必须承受。

任何反对群体力量的论述都是一派胡言。当然，群体的登场可能是西方文明走向没落，即彻底回到混乱的无政府时期的标志之一，每个新社会在诞生前似乎都要经历这些时期。可是我们又如何能阻止这一切的发生呢?

直至今天,彻底摧毁过于陈旧的文明成了群体最明确的职责。其实并不是从今天起此职责才出现在世界上。历史告诉我们,当文明所依赖的道德力量失去威力时,它最终就被那些无意识且粗暴的群体解体了,称这些群体为野蛮人一点都不为过。文明向来都是被少数有知识的精英创造和操控的,而绝非群体。群体只具有毁灭的力量。他们的统治始终代表野蛮阶段。文明包含固定的规则、纪律,从本能向理性的过渡,对未来的预见能力,高度的修养;而自由散漫的群体总是显示他们绝对达不到这种状态。他们以其独有的摧毁力如细菌般蚕食弱者或加速尸体的腐烂。当文明的大厦摇摇晃晃时,把它推倒的永远是群体。这时,群体的职责便出现了,一时间,"人多势众"似乎成了唯一的历史真理。

我们的文明,情况也一样吗?这正是我们所担心的,但也是我们尚且无法弄清楚的。

不管怎样,我们都必须心甘情愿地忍受群体的统治,因为一些冒失的手已经相继推翻了可能阻挡他们的所有障碍。

我们开始大谈群体,而对于群体,我们知之甚少。职业心理学家因为生活远离群体,始终不了解他们,而他们在关注群体时,却又从犯罪的角度研究群体的犯罪类型。或许存在犯罪群体,但也有诚实的群体、英勇的群体,以及许多别的群体。

群体犯罪只是心理学研究的个别情况，如果只研究群体犯罪，就无法深入了解群体的心理结构，对个体也一样，如果只描述个体的恶行，那也无法了解他的心理构成。

不过，说真的，世界上的所有统治者、所有宗教或帝国创始人、各种信仰的传教者、杰出的政治家，以及较低层次的人类小集体的普通首领，他们都曾是非自愿的心理学家，对群体的心理具有本能的但往往很正确的认知；也正因为对群体十分了解，他们才能轻而易举地成为统治者。拿破仑对他所统治的国家的群体心理有着极其深入的了解，但他有时完全低估了某些异族群体的心理。①正因为这种低估，他在西班牙，尤其是在俄国发起战争时，他的势力受到打击，很快就被打败了。

如今，了解群体心理成了政治家的最后对策，当代政治家并不想统治群体，这太难了，但他们至少也不愿受大众任意摆布。

只要我们对群体心理稍做深入的了解，我们就会明白，法律和制度对他们的影响微乎其微。除了强加给他们的观点，他们自己完全没有能力形成任何看法。我们不能用理论上公正的一些规章制度来管理他们，而是要探究他们会为什么东西所感动和吸引。比如，如果某个立法者想制定一个新的赋税制度，他会选择一个理论上最公正的税制吗？绝不会。对群体来

---

① 此外，拿破仑那些最精明能干的顾问并不比他更了解群体。塔列朗给他写信说西班牙将像欢迎救星那样欢迎他的士兵。然而，它像对待野兽一般迎接他们。如果是一位了解种族遗传本能的心理学家，轻易就能预见这种结果。

说，最不公正的，事实上有可能是最好的。如果它同时又是最隐蔽的，看上去又不沉重，那它就是最容易被接受的。这也是为什么间接税不管高到什么程度，总能被群体接受，因为消费品的税每天是零碎交纳的，不会妨碍他们的生活习惯，不会引起他们的强烈反感。假如我们换一种税，比如对工资或其他收入按比例缴税，一次性付清，即使按理来说比间接税要轻十倍，也会激起群体的一致抗议。因为，不显眼的一笔笔小小的日常税换成了一笔相比较而言有些高的数额，就会显得特别多，因此到了缴税的那天便会感到吃惊。这笔税钱如果是一点点存在那里的，再一起付，就不会显得那么沉重。这种经济手段体现了一定的远见，而群体不具备这样的素质。

这个例子最能说明问题，它的合理性很容易被感知。它也逃不过像拿破仑这样的心理学家。但是，立法者因不了解群体心理而看不出这一点。经验还不足以充分地告诉他们，人类决不会按照纯理性的具体规定行事。

许多其他的实用性研究都可以从群体心理学入手。对群体心理的认知犹如一道强烈的闪电，许多完全不可理解的历史、经济现象都因此受到启迪。我有理由证明，最著名的现代历史学家泰纳[1]之所以有时并不十分了解法国大革命时发生的事件，就是因为他从未想到要研究群体心理。在研究这个复杂历史时期时，他是以自然主义的写实方法为指导的，但是，在自然主义者要研究的现象当中，几乎没有道德力量的位置。而构成历史真

① 泰纳（Hippolyte Taine，1828—1893），法国19世纪杰出的文学批评家、历史学家。著有《英国文学史引言》《艺术哲学》等。——译注

正推动力的，正是道德力量。

如果仅从实用方面考虑，研究群体心理是值得尝试的。如果研究出自纯粹的好奇心，那就更值得一试了。了解人类行为动机，与辨别一种矿产或一株植物同样有趣。

我们对群体心理的研究或许只是一个简短的综述，一个我们的研究工作简要的概括。我们只能要求它提供一些启发性的观点。其他人将沿着这条沟深挖下去。我们现在所做的只是在一片尚未开垦的土地上开辟一条沟壑。①

---

① 只有极少数作者专注于群体心理学的研究，正如我在上面提到的那样，他们只是从犯罪的角度研究群体。我在本书中只用了一章论述这个主题，因此，关于这个特殊的问题，读者可查阅塔尔德先生和西盖勒先生的著作《犯罪群体》。这部作品不仅包含作者的个人观点，还含有一个可供心理学家参考的犯罪行为汇编。而我对群体犯罪和道德所做的推论与这两位作家的结论完全相反。

在我的《社会主义心理学》这部著作中，您会看到支配群体心理的那些法规所产生的某些后果。这些法规在各个方面都得到应用。A.格瓦尔特先生是布鲁塞尔皇家艺术学院的院长，他最近成功地将我们曾讲到的那些法规运用到一项对音乐的研究上，他称这些法规为"群体的艺术"。"您的两部著作，"这位著名教授在给我寄他的论文时写道，"给我提供了解决问题的方法，这个问题以前被我视为是难以解决的：所有的群体都拥有令人惊讶的感受音乐的能力，无论这部音乐作品是当代的还是古代的，是本土的还是外国的，是简单的还是复杂的，只要它是由好的乐队演奏的，指挥家是富有激情的。"格瓦尔特先生令人赞叹地对这一现象进行了说明，"一部作品一直未受到某些杰出的音乐家的赏识，因为他们只会在工作室里孤自读乐谱，而它有时一上来就能被一群完全没有音乐素养的听众理解"。他还对为何那些审美感受没有留下一丝痕迹进行了证明。

第一卷

群体心理

第一章

群体的一般特征，群体精神统一的心理规律

从心理学视角看一个群体构成的要素/个体大量聚集不足以构成一个群体/心理群体的显著特征/组成群体的个人，其思想与情感的固定趋向及其个性的消失/群体总是受无意识操纵/大脑活动停止，脊髓活动占上风/智力下降，情感全面转变/转变后的情感较之于组成群体的个人情感不是更好就是更坏/群体成为英雄和成为罪犯一样容易。

一般来说，“群体” 这个词指普通人聚集在一起，无论其国籍、职业或性别是什么，也无论出于什么偶然原因相聚。

从心理学角度看，“群体” 这个词具有完全不同的含义。在某些特定情境下，而且只有在这些特定情境下，一群人才会拥有新的特点，这些特点与组成该群体的个人所具有的特点完全不同。自觉个性褪去，所有共同体的情感和思想都被引向同一个方向。一种集体灵魂形成了，它也许是暂时性的，但特点很分明。集体于是变成了——因为找不到更好的词——我称之

为结构群体的东西，或者，如果愿意的话，也可以称作心理群体。集体形成了一个独一无二的存在，服从于**群体精神统一的心理规律**。

显然，并非只因为许多人偶然聚集在一起，他们就可获得结构群体的性格特点。即使一千个人偶然聚集在某个公共广场，如果没有任何明确的目的，那么，从心理学角度来看，这绝对算不上一个群体。要获得群体的固有性格特点，需要某些刺激物施加影响。我们将对这些刺激物的性质进行界定。

自觉个性的消失以及情感和思想趋于一致，这些构成了正在产生的群体之最重要的特点，但这并不总意味着许多人必须同时出现在一个地方。数千人即使分散各地，但在某些时候，受到某些强烈的情绪影响，比如某个重大的民族事件，在这种情况下，他们也能获得心理群体的特点。所以，只要任何一种偶然性把他们聚集在一起，他们的行为立刻就具有群体行为所固有的特点。某些时候，六七个人就能构成一个心理群体，而几百人出于偶然聚集在一起，可能还构不成一个心理群体。另外，整个民族即使没有出现任何明显的聚集行为，但在某些影响的作用下也会成为群体。

当某个心理群体形成后，它便获得一些一般性的特点——虽然短暂，但是可确定的。除了这些一般特点，还有一些独特的特点，因构成群体要素的不同而发生变化，并且能改变群体的精神结构。

因此，心理群体是可以分类的，当我们对心理群体进行分类时，我们会发现，一个由不同要素组成的异质群体与由多少有些相似的要素组成的同

质群体（派别、身份集团和阶级），会呈现出一些共有的特点，除了这些共同性，异质群体还具有某种特性，使其区别于同质群体。

但在对不同类别的群体进行研究之前，我们必须先仔细考察它们之间共有的特点。我们将按照博物学家的方法，从描述一个派系的所有人共有的一般特点入手，然后再描述他们的特性，正是这些特性使得该派系所包含的属性和种类有所区别。

要精确地描述群体心理并非易事，因为群体的心理结构不仅随着集体的族性和构造变化而异，也会因集体所受刺激的性质和程度不同而各不相同。不过，对某个个体心理进行研究也会遇到同样的困难。个体从出生到死性格始终如一，这只能在小说中看到。环境的单一性造就性格的单一性。我曾在别处指出，所有心理结构都含有一些潜在的特征，一旦环境突然发生变化，这些特征就会显现出来。这就是为什么在那些最残忍的国民公会议员当中，有一些是性格温和的有产者，通常情况下他们是些与世无争的公证人或品行正直的法官。风暴过去后，他们便恢复了温和的有产者的惯常性格。拿破仑在他们当中找到了最顺从他的仆人。

在此，我们不可能研究所有群体结构的等次，我们主要从其完全构成阶段来考察群体。这样，我们就能看到他们会变成什么，而非其一如既往的状态。只有在这个完成构成的高级阶段，在种族稳定和占据统治地位的基础之上，一些新的、特别的特征才会重合在一起，集体的所有情感和思想才会朝着同一个方向发展。只有在这时，我前面所说的群体精神统一的心理规律才会显现。

在群体的心理特征中，有些可能是群体与独处的个体共有的。其他的则完全是群体固有的，只在集体中显现。我们的研究将从群体固有的特征入手，足见其重要性。

心理群体所显示的最让人震撼的现象是：无论组成群体的那些个体是什么人，无论他们的生活方式、职业、性格或智力相似还是不同，仅通过变成群体这一事实，他们就获得了某种群体心理，使得他们以一种完全不同的方式，而不再作为独处的个体去感受、思考或行动。个体身上的一些思想、感情，只有处于群体中才会显现或转化为行动。心理群体是暂时存在的东西，由性质不同的要素组成，后者就像构成生命体的细胞，在一定的时刻通过聚合形成一个新的生命体，显示出与单个细胞所具有的完全不同的特点。

在组成一个群体的集合体中，绝对没有任何要素的总和与平均值，只有新特征的合成和创造。如同在化学中，一些元素混合，比如碱和酸，就会中和成一个新物质，其属性与原来那些物质的属性已经完全不同了。我们惊讶地发现，一位像赫伯特·斯宾塞①那样有远见的哲学家，竟然对此持有完全相反的观点。

指出群体中的个体与独处的个体截然不同，这并不难，而要找出造成

① 斯宾塞（Herbert Spencer，1820—1903），英国哲学家、社会学家、教育家，被称为“社会达尔文主义之父”。——译注

这一差异的原因，则不那么容易。

要想最终至少能窥见一些原因，首先切记现代心理学的这个发现：无意识现象不仅在有机生命中发挥主导作用，在智力活动中亦如此。与精神的无意识活动相比，其有意识活动只占很小部分。即便是最敏锐的心理活动分析家、最深刻的观察家，也只能发现自己仅受一点儿无意识动机的支配。我们的有意识行为源自一个无意识基质，后者尤其是遗传的影响造就的。该基质包含无数祖先遗传下来的东西，它们构成了种族心理。我们承认我们的行为出自动机，而这背后可能还有未被我们认可的隐蔽动机，这些隐蔽动机背后还有更加隐蔽的原因，连我们自己都不知道。我们大部分日常行动都只是我们所见之外的隐蔽动机之结果。

构成一个种族心理的是无意识因素，无意识因素使得该种族的所有人彼此相似，使他们有所区别的则主要是有意识因素，后者是教育的结果，但更是特殊遗传的结果。即使是在智力差距最大的人之间，他们在本能、情感、感受力上仍相差无几。凡是涉及宗教、政治、道德、个人喜好和厌恶等方面，最杰出的人也不会表现得比最普通的人好太多。从智力上看，一位伟大的数学家和他的鞋匠之间可能存在着一道鸿沟，但就性格而言，差别几乎不存在或者微乎甚微。

然而，正是这些普遍存在的性格品质使得人们得以在群体中共存，它们受无意识操控，为某个种族的大部分普通人所拥有，程度也都差不多。在集体心理中，个体的智力消失了，个体最终也都失去了个性。异质淹没在同质中，无意识特性占主导地位。

正是“一般品质共同化”这个事实让我们明白，群体绝不可能执行需要高智商的行动任务。一群杰出的但专业各不相同的人所做的有关普遍利益的决断并不比一群傻瓜的决定更加正确。其实，他们只能将人人都拥有的平庸品质共同化。群体中，是愚蠢而非才智的积累。正如人们常说的那样，并非人人都比伏尔泰聪明，而是伏尔泰比所有人都聪明，这里的“人人”应当理解为群体。

但是，如果群体中的个体只是将他们人人具有的一般品质共同化，那就只会变得平庸，而非我们所说的创造出新的性格特点。

如何创造新特点？这正是我们现在要探讨的。

群体固有的那些性格特点，其出现有多种原因，是独处的个体所不具备的。首先，群体中的个体，仅因人数众多就感到有一种不可战胜的力量，这会使他受冲动的支配，而他在独处时必定会更加理性。在群体中，彼此都是陌生人，谁也不用对谁负责，当约束个人的责任感彻底消失，个体就会变得为所欲为。

其次，传染性在决定群体显现其固有性格方面起着一定的作用，并影响着他们的态度。传染是一种现象，发现它很容易，但要想解释清楚则很难。它应当被归于催眠现象，我们待会儿将对此进行研究。群体中，每种情感和行为都具有强烈的传染性，以致个体轻易就会为集体利益牺牲个人利益。这是一种完全违背其天性的倾向，人只有成为群体中的一分子时才

会这样。

第三个原因，也是最重要的原因，是它决定了群体中的个人有时会表现出与独处的个人完全不同的特性。我想说的是暗示性，上面提到的传染性就是这一原因导致的结果。

要理解这种现象，必须牢记心理学的一些新发现。我们现在知道，通过各种方法，个体可以被置于某种状态，他在失去全部自觉意识后，便会听从于那个使他失去个性的主导者的所有暗示，做出最违背其性格和习惯的事情。然而，细心的观测结果似乎表明，个体只要深入某个群体内部并待上一小会儿，立即就会处于某种特殊状态（因为人群散发出的气味，或者我们所不知的其他原因），类似落入催眠师手中的被催眠者所处的那种像中了魔法似的状态。这个被催眠者的大脑活动停止了，成为其脊髓的所有无意识活动的奴隶，任催眠师随意摆布。自觉的个性完全消失了，再也没有意愿，也没有分辨力。所有情感和思想都朝催眠师指定的方向发展。

这差不多就是个体加入心理群体后的状态。他对自己的行为不再有意识。如同被催眠者，他身上的某些特性被消灭了，而同时其他特性却会达到巅峰。在暗示的作用下，他会奋不顾身地投入某些行动，其狂热程度甚至比被催眠者的还要强，因为即便是对所有个体都一样的暗示，在人群的相互作用下也会变得更强大。群体中，个性特别强的人足以抵抗暗示，但人数太少，无法同潮流对抗。他们最多也就是试着以别的暗示发泄一下情绪。诸如一句吉祥的话、一个恰巧展现的画面，有时都会让群体放弃最血腥的行动。

因此，消失的自觉个性，占上风的无意识个性，以暗示和传染的途径向同一方向发展的情感和思想，有可能立即变成行动的、受到暗示的思想，以上这些便是群体中的个体的主要特征。他不再是自己，他成了一个百依百顺的傀儡。

所以，仅凭他加入一个结构群体这一举动，他就在文明的阶梯上下滑了好几步。孤身一人，他可能是个有教养的人；处于群体中，他却成了野蛮人、行事冲动的人。他没有自控力、残忍、野蛮，并且具有原始人的狂热崇拜和英雄主义特征。他还像原始人那样极容易被词语和形象影响——这对组成群体的每个独处的个体不起任何作用——以至做出违背其实际利益和众所周知的习惯的种种举动。群体中的个体是沙漠中的一粒沙，随风飘扬。

所以，我们看到，每个陪审员个人可能反对的一些判决，到了陪审团都顺利通过。每个议员个人可能会谴责的一些法律和措施，到了议会都被采纳了。制宪会议的成员单独行事时，都是些举止温和、有教养的有产者。而当他们组成群体时，便会毫不犹豫地表决通过最残忍的提案，把那些显然无辜的人送上断头台。并且违背他们的所有利益，果断放弃其作为议员的豁免权，互相残杀。

群体中的个体不只是在行为上与独处的个体有着本质的区别。甚至在丧失全部独立性之前，他的思想和情感就已经发生变化了，而且是深刻

的变化，足以把吝啬鬼变成挥霍无度的人，把怯懦的人变成英雄。众所周知的1789年8月4日那个夜晚，贵族们在狂热中投票放弃贵族的所有特权，如果让他们每个人单独行事，这事绝不会发生。

综上所述，我们得出结论：在智力上，群体总是低于独处的个人，但是，从情感及其导致的行为来看，群体会在不同情况下有着更好或更坏的表现。一切取决于群体接受暗示的方式。这正是作家们不了解的，他们只是从犯罪的角度研究群体。群体经常犯罪，这是可能的，但他们常常也表现得很有英雄气概。为了某个信仰或观念的胜利而勇于牺牲自己性命的，主要是群体。人们激励他们为荣耀而战，就像十字军东征时期人们诱惑他们饿着肚子、赤手空拳地从异教徒那里夺回某个上帝的坟墓，或者就像1793年人们激励他们保卫祖国的领土。这种英雄主义也许有点轻率，然而，历史正是由这些勇敢无畏的人书写的。如果只能把那些经过冷静思考后付诸行动的伟大战斗归功于人民，那世界编年史留下的记载就太少了。

第二章

群体的情感与道德

1. 群体的冲动、多变和易怒。群体受所有来自外界的刺激的支配,显示它们的不断变化/群体受强制性冲动的支配,以致全然忘却个人利益/群体做什么都不事先考虑/种族的作用。2. 群体的易受暗示性和盲从。他们受暗示的支配/群体脑海中展现的形象被他们当成了现实/为何这些形象对组成群体的每个个体来说都是相同的/群体中学者和傻瓜无差别/群体中所有个体都有幻觉倾向的各种例子/万万不可听信群体的证词。众口一词是最不可信的证词之一,不可以此为理由确定某个事实/史书价值甚微。3. 群体情感的过激和简单化。群体既不懂得怀疑也不懂得犹豫,总是走极端/他们的情绪总是过激。4. 群体的偏执、蛮横和守旧。这些情感的缘由/强权下群体的奴性/尽管群体有一时的革命性冲动,但仍然是极端保守主义者/群体出于本能憎恶变革和进步。5. 群体的道德。在暗示的作用下,群体的道德会比群体中个体的道德高尚许多或恶劣许多/解释和例证/群体很少把利益作为他们的行动指南，而独处的个体往往将利益视为唯一的行动动机/群体的教诲作用。

在笼统地指出了群体的主要性格特点后，现在我们来深入详细地分析它们。

人们将注意到，在群体固有的性格特点——冲动、易怒、无思考能力、缺乏判断和批判精神、情感过激，等等——当中，许多特点在进化水平较低的人，如妇女、野人和儿童身上也可见到，不过，我只是顺带提一下他们的相似性。对此进行论证将超出本书的范围。再说，这对于谙熟原始人心理学的专家来说并无实用价值，而对于一点都不了解这方面的人来说往往又没有说服力。

现在我将逐一论述我们在大多数群体中能观察到的不同性格特点。

1. 群体的冲动、多变和易怒

我们在研究群体的主要性格特点时说过，群体的行为几乎只受无意识支配。其行动受脊髓的影响更多，而非大脑。在这方面，群体与地地道道的原始人并无差异。说到执行力，群体付诸行动的能力可谓完美，但是，大脑不起作用，每个人都听凭冲动行事。群体受所有来自外界的刺激的支配，显示其不断的变化。因此，群体无法摆脱所受冲动的影响。独处的个体也会像群体中的个体那样受同样的刺激影响，但是，由于他的大脑向他指出，听凭冲动会招致种种麻烦。所以，有人说独处的个体拥有控制其反应的能力，而群体则没有，这可以算是从生理学角度的一种表述。

群体听任的那些不同冲动因刺激因素的不同，可以是宽厚的或残忍的，英勇的或怯懦的，但总是那么专横，以至个人利益、自卫的本能都无法战胜它们。能对群体施加的刺激因素多种多样，群体总是听任其摆布，而后变得极其善变。这就是我们会看见他们瞬间就从最血腥的残暴过渡到宽宏大量或英勇无比的缘故。群体极容易成为刽子手，但也极容易成为烈士。各种信仰获胜所需付出的大量鲜血就是从群体的体内流出的。在这一点上，无须追溯到古代英雄生活的时代便可知道群体无所不能。他们绝不会在参加一场暴动时吝惜生命，几年前，一位将军突然变得极受爱戴，他一声令下便可以找到十万人随时为他的事业献出生命。所以说，群体做任何事情都不会预先策划。

群体可以连续经历各种不同的感情变化，但始终受当下的刺激因素左右。他们就像树叶那样，狂风吹起，便飞散四方，而后又落下。在别处研究某些革命群体时，我们将引证几个例子来说明他们情感的变化无常。

群体的多变性使得他们极难管理，尤其是当一部分公共权力落入他们手中时。若不是日常生活必须做的事情悄悄地分散着他们的精力，民主几乎不可能维持很久。但是，即使群体疯狂渴望得到某种东西，他们也不会期待很久。

群体不只是易冲动和善变。如同野蛮人一般，他们不愿承认在愿望和实现愿望之间会出现干扰。他们尤其在因人数众多而感到有一种不可战胜的力量时,更难以接受这个事实。对群体中的个体而言,“不可能”这个概念不存在。独处的个体则清醒地意识到,凭他一个人的力量,是不可能烧毁一个宫殿、抢劫一家商店的,即便有这样的企图,一般情况下他也会不受诱惑。而加入一个群体,他便意识到了人数众多带给他的力量,他只需受到一些杀人和抢劫的观念的暗示,便会立刻屈服于诱惑。任何出乎意料的障碍都将被疯狂粉碎。如果人体能长期处于疯狂状态的话,那么疯狂可以说是易怒群体的常态。

在群体的易怒、冲动和多变,以及我们接下来要研究的所有民族情感中,种族的基本特点始终在起作用,它们构成了坚实的土壤,我们的所有情感得以在这片土壤中萌生。所有群体都具有易怒和冲动的特点,这是可能的,但程度大不一样。比如,拉丁群体和盎格鲁-撒克逊群体之间的差异极其明显。我们历史上新近发生的那些事件在这点上给予了生动的启示。1870年,仅仅因为一封说某大使受到侮辱的普通电报遭到公开,群众便被激怒了,从而引发了一场可怕的战争。过了几年,一封电报声称法军在谅山打了个小败仗,这再次引发众怒,导致政府瞬间被推翻。而就在同一时间,英国出兵远征,在喀土穆惨遭失败,却只在英国引发了小小的骚动,并没有发生倒阁。群体所到之处都带着女性气质,其中最有女性气质的群体是拉丁群体。依靠群体的人可以升得很高并且很快,但他总是走在悬崖边上,总有一天会坠落下去。

2. 群体的易受暗示性和盲从

我们在给群体下定义时说过，群体的一般性特点之一是强烈的易受暗示性，我们还指出，在所有人类集合体当中，暗示具有传染性，这就是情感会迅速向一个既定方向发展的原因。

即使群体如我们所想，是中性的，也总处于期待被关注的状态，这使得暗示变得很容易。第一个暗示刚出现，便立刻通过传染侵入所有大脑，方向马上就确定了。就像发生在所有受到暗示的人身上那样，侵入大脑的观念有变成行动的趋势。无论是烧毁宫殿，还是牺牲自己，群体都会不假思索地听从引导。一切取决于受到什么样的刺激，而不再像独处的个体那样，取决于被暗示的行动与一堆可能反对执行这一行动的理由之间的权衡。

由于群体总漫步在无意识边缘，易于接受所有暗示，就像对理性的影响毫无反应的人那样情绪暴烈，没有丝毫批判精神，因而他们只能一味盲从。对群体来说，不太可能的事不存在，我们必须记住这一点，才能理解为什么那些荒谬可笑的传说和故事会有那么多并且都传播得那么广。①

这些传说很容易在群体中流传，其创作并非只是出于群体的盲从。更多的是群体加上了自己的想象，致使发生的事情完全走了样。哪怕是最普通的事情，在群体眼中也立刻会发生变化。他们靠形象来思考，而被唤起

① 亲历巴黎围困的人见过无数类似群体对最荒谬可笑的事情盲信的例子。楼的顶层点燃的一支蜡烛立刻被视为向围城者发出的信号，而只要稍加思索就会明白，他们离烛光几公里远，绝对不可能看到烛光，这是显而易见的。

的形象又引发出一系列与第一个形象毫无逻辑关系的其他形象。这种状态我们很容易理解，想想吧，我们有时也会因为提及某事而陷入一系列奇怪的想法中。理智告诉我们，这些形象中有些是荒谬的，但群体几乎看不到这一点。他们那歪曲事实的想象给真实事件添加的成分，又被他们与真实事件混淆起来。群体不大区分主体与客体。他们认为脑海里唤起的形象是真实的，其实只是有些相似而已，与客观事实相差甚远。

群体对自己亲眼所见的事情进行歪曲，这种情况好像还挺多。产生的看法也是各种各样的，因为组成群体的个体性情都很不一样。不过，这没什么。因为传染的缘故，所有变形的东西对每个个体而言都属于同一性质，具有同样的意义。集体中的某个人第一次对事实所做的歪曲成了传染性暗示的核心。圣乔治在耶路撒冷的墙上向所有十字军战士显灵，但这之前，肯定只有一名在场者见到他。通过暗示和传染，一个人宣告的奇迹很快就被众人接受。

这就是历史上经常出现的集体幻觉之机制，这些幻觉似乎具有真实性的一切传统特征，因为这些现象得到了成千上万人的证实。

对前面所说的集体幻觉的遏制不应诉诸组成该群体的所有个体的心理素质。这种素质并不重要。个体一旦入群，不管是无知者还是学者，都变得一样，再也不会观察了。

这个论点也许看上去很矛盾。要对此进行全面论证，必须掌握大量历史事实，只读几卷书是不够的。

不过，我不想让读者有口说无凭的感觉，我还是举几个例子，是我从大量可以引用的实例当中随意抽取的。

下面发生的事情是最典型的例子之一，因为它涉及的是一个集体幻觉极其猖狂的群体，而该群体是由各种各样的人组成的，有无知的人也有受过教育的人。这是海军上尉朱利安·费利克斯在其关于海流的书中附带提到的，以前曾被《科学杂志》转载过。

> “美丽母鸡”号护卫舰在海上巡航，寻找被一阵猛烈的风暴吹散的“摇篮”号轻型巡洋舰。这是大白天，阳光很好。突然，瞭望水手发出信号，发现一艘失事的小船。全体船员将目光转向他示意的地方，所有人，无论是军官还是水手，都清楚地看到一只载着人的救生筏，被几艘挂着遇难信号的小船牵引着。然而，这只是一种集体幻觉。海军上将德斯弗斯下令装备一艘小艇去救遇难船只上的人。行驶过程中，登上小艇的水手和军官看见“一群人在走动，伸出双手求助，还听见许多人发出低沉而嘈杂的声音”。小艇到达时，大家突然发现眼前只是一些带着树叶的树枝，是从邻近的海岸漂过来的。面对如此确凿的事实，幻觉消失了。

在这个例子里，我们看到我刚才所说的集体幻觉机制发生的详细过程。一方面，群体处于期待关注的状态；另一方面，是瞭望水手发出“海上有遇难船只信号”这一暗示，并通过传染让所有在场的军官和海员接受它。

一个群体，无须人数众多，便可将正确看待眼前所发生之事的能力彻底摧毁，使真实的事件被与之毫不相干的幻觉替代。几个人一聚集在一起，就构成一个群体，即使这几个人是著名学者，对于专业之外的东西，他们也会表现出群体的所有特点，他们每个人原有的观察力和批判精神也会即刻消失。达维先生是一名机智的心理学家，他在这方面为我们提供了一个极有趣的例子，被最近的《心理学年鉴》引证。达维先生召开了一次著名观察家的会议，其中就有英国著名学者华莱士先生。他让他们仔细观察物体并随意在一个地方盖上印记，然后，他当着大家的面表演招魂者的所有传统奇异手段：幽灵显形、石板上写字，等等。尔后，他从这些著名观察家那里得到了一些文字报告，他们断言观察到的奇异现象只能通过超自然手段实现，于是他向他们指出，这些只是非常简单的欺骗术所产生的效果。“达维先生的调查最令人惊异之处，”讲述者写道，“不是招数本身有多神奇，而是这些未被授以宗教奥义的见证者所做的报告极其没有说服力。因此，见证者可以给出大量的、毋庸置疑的，却完全错误的叙述，结果便是：如果人们承认他们的描述是真实的，那么，他们描述的奇异现象就无法用欺骗术解释。达维先生发明的方法如此简单，人们对他敢于使用这些方法感到惊讶不已。不过，他对群体的精神有如此大的操控力，竟然能让群体相信他们看见了并没有看见的东西。”这仍然属于催眠师对被催眠者的操控力。然而，当人们看到这种操控对高智商的人也起作用（而且事先就让他们怀疑),可以想象,让普通群体产生幻觉是多么容易的一件事。

类似的例子有无数个。就在我写这几行字的时刻,所有报纸都在报道从塞纳河打捞起来的两个溺亡小女孩的事情。这两个孩子最先是被十来个证人以十分肯定的语气辨认出的。所有证词都相符,以致预审法官的头脑里未存任何怀疑。他让人开了死亡证明。可就在人们要埋葬她们时,变故出现了:人们发现推定已经溺亡的那两个女孩活得好好的,并且与实际溺亡的女孩长得并不太像。正如在前面举的几个例子那样,受幻觉之害的第一个证人的证词足以暗示所有其他人。

在类似的事件里,暗示总是从某人因多少有些模糊的记忆而产生的幻觉开始的,然后通过对这个原始幻觉的证实而传染开来。如果第一个观察者过于敏感,那么,他认为辨认出的尸体往往只需显示某个(与实际情况无关的)特征,如一处瘢痕或一个衣着细节,就能唤起其他人的想象。

被唤起的想象此时会变成一种凝聚力的核心,侵袭认知领域,彻底麻痹批判能力。观察者此时看到的,不再是物体本身,而是他脑海里被唤起的形象。这就解释了两个溺亡孩子的尸体被亲生母亲认错的原因。下面的事件也一样,虽然发生在很久以前,但最近常被报纸提及,人们刚好可以从中看到两类暗示,我刚刚解释了这两类暗示的机制。

这孩子被另一个孩子认出,但他搞错了。于是引起了一系列错误的辨认。

人们看到了一件非常令人惊异的事情。在一个小学生认出这孩子的第二天，一个女人大喊："啊，我的上帝，这是我的孩子。"

她被带到尸体旁。她查看了衣服，发现额头上有一瘢痕。"果然是他，"她说，"我可怜的儿子，去年七月失踪的。有人拐走了他，把他杀了！"

这女人是福尔街的看门人，名叫沙旺德莱。人们叫来她的表兄，他毫不犹豫地说，这正是小费利贝！街上好几个居民都认为在拉维莱特发现的那个孩子就是费利贝·沙旺德莱，他的小学老师更是如此，在他看来，孩子身上的纪念章就是一个标记。唉！邻居、表兄、小学老师和母亲都弄错了。过了六个星期，孩子的身份得到澄清：是波尔多的一个孩子，在波尔多被杀，而后被运到巴黎。①

人们发现，来辨认的通常都是妇女和儿童，确切地说就是感情最脆弱的人群。同时，从中我们知道类似的证词在法庭上能有多少价值。尤其是孩子，他们的证词绝不该被引用。法官总是老生常谈，反复说这个年龄的人不会撒谎。而如果他们对心理学稍微有点知识，就会知道这个年龄的人几乎总是在撒谎。这种谎言也许并非故意，但仍然是谎言。宁可用抛硬币猜正反面的方式给一个被告定罪，也不要像许多人曾经做的那样，依据一

① 《闪电报》，1895年4月21日。

个孩子的证词来给被告定罪。

回到群体观测结果这个主题，我们总结如下：集体观测结果误差最大，往往是一个人的幻觉，通过传染暗示其他人。人们可以列举无数事实来证明绝不可相信群体的证词。数千人参加了色当战役中最著名的骑兵部队突击战，而面对种种自相矛盾的目击者证词，我们仍无法知道这场战役是谁指挥的。在最近出版的一本书里，英国将领沃尔斯利证实，直到现在，人们在滑铁卢战役最重要的事实上犯了最严重的错误，而这些事实是被数千名目击者证实的。①

从这些例子我们知道，群体的证词究竟有什么价值。逻辑学专论把众多证人的一致看法归入最可靠的证据，可以用来证明某一事实的真实性。但是，我们对于群体心理学的认知显示，逻辑学专论在这个问题上应该全部重写。最不可信的事件肯定是那些被大多数人确认的事件。说某事件同时有数千个目击者，这往往就是说真正的真相与接受的故事相去甚远。

因此，很显然，史书必须被当作纯想象的产物。它们都是对一些未经完全证实的事情所做的异想天开的叙述，加上事后做的一些解释。用水搅

① 即便只是一场战役，我们知道它到底是如何发生的吗？对此我表示怀疑。我们知道谁胜谁负，或许仅此而已。德·哈库尔先生作为索尔费里诺战役的参加者和见证人，他就此战役说的一段话可能适用于一切战役："（通过数百个证词而了解战役的）将军们递交正式报告，负责传达命令的军官对这些文件进行修改并撰写一份最终计划。参谋长看后提出异议，花大力气重新修改一遍，然后交给元帅。元帅大喊：'你们完全搞错了！'于是，他换了一份新的计划，这与最初的报告相差甚远。"德·哈库尔先生讲述这件事是想证明，即便是最惊人、被无数目击者证实的事件，要想确定其真相，也是一件不可能的事。

拌石膏粉也比浪费时间写这类书有益得多。如果不是历史给我们留下它的文学艺术作品和名胜古迹，我们肯定对过去的真实情况一无所知。在人类历史上曾发挥主导作用的伟人，如赫拉克利特、释迦牟尼、耶稣或穆罕默德，关于他们的生活，我们知道哪怕一点真相吗？很可能不知道。再说，他们的真实生活对我们来说一点都不重要。我们想了解的是民间传说所创造的伟大人物。触动群体灵魂的是传奇英雄，而并非真正的英雄本人。

不幸的是，传说本身也没有任何稳定性，即使它们已经被记载进史书中。群体的想象会随时代和种族（尤其是种族）的不同而不断对它们进行改造。《圣经》中嗜血成性的耶和华与圣德勒撒充满爱的上帝完全不同，中国人崇敬的佛陀与印度人敬仰的菩萨再也没有任何共同之处。

甚至无须等上几个世纪，这些英雄传说就会因群体的想象而变得面目全非，改变有时在几年时间内就可发生。如今我们看到，历史上最伟大的英雄之一，关于他的传说不到五十年就被改编了好多次。波旁王朝时期，拿破仑成了一个淳朴、仁慈、主张自由的人物，是穷人的朋友。按照诗人们的说法，穷人会在自家茅舍里长久回忆他。三十年后，温厚的英雄成了一个嗜血成性的暴君。篡夺政权和侵犯他人的自由后，他仅仅为了满足自己的野心，就杀了三百万人。如今，我们又看到一个关于此传说的新版本。再过几十个世纪，未来的学者面对这些相互矛盾的说法，或许会怀疑这个英雄是否真的存在过，就像他们有时怀疑佛陀的真实性一样，只把他看作某个太阳神话，或者对赫拉克勒斯传说的演绎。他们或许很容易为这种不确定性感到理所当然，因为他们比我们更了解群体的心理，知道历史几乎只能使神话流传后世。

3. 群体情感的过激和简单化

无论群体表达的情感是好还是坏，都存在过于简单和过激这两种特点。在这方面和在其他方面一样，群体中的个体与原始人相似。他体会不到情感的细微差别，只能从大体上看待事物，不了解事物的过渡状态。群体情感的过激因这一事实而膨胀起来，某种情感一旦流露便通过暗示和传染迅速传播开来，它所获得的显而易见的认同大大增强了它的力量。

群体情感的简单化和膨胀使得群体既不会怀疑也不会犹豫。如同女人，群体极容易走极端。刚表达的怀疑即刻就转变为无可辩驳的事实。反感和反对情绪出现在独处的个体身上不会加深，但在群体中的个体身上则立即就会变成强烈仇恨。

群体情感粗暴会因为缺乏责任感而更加突出，尤其是在异族群体中。对不受处罚的断定（人数越多越坚信自己不会受到处罚）以及因人数众多感到自己一时无比强大，这些因素使得那些对独处的个人而言不可能有的情感和行为出现在群体中。在群体中，傻子、无知的人和嫉妒者摆脱了无知和无能的感觉，产生了一种蛮力，虽短暂却强大无比。

不幸的是，群体中情感的过激往往导致情绪粗暴，即原始人遗传下来的本能残渣，而有责任感的独处个体因害怕受到惩罚不得不约束自己的天性。这就是群体极容易出现极端暴行的原因所在。

然而，这并不意味着群体得到巧妙暗示却不能表现出英雄品质、牺牲精神和崇高道德。他们甚至比独处的个体更容易做到这一点。稍后我们在研究群体的道德时还有机会再回到这个问题上。

群体情感的过激使得他们只为极端情感所打动。演说家想迷惑群体必定滥用那些语气强烈的断然言辞。夸张、断定、重复，这些是民众集会时演说家惯用的众所周知的辩论术，他绝对不想以推理来证明什么。群体也希望他们的英雄人物有同样极端的情感。这些英雄常见的优点和美德总是被夸大。人们恰好也注意到，戏剧中，群体要求剧中主人公具有英勇、品德高尚、诚实这些优点，而在实际生活中他们从未践行过。

人们曾谈到舞台的特殊视觉效果，这是有道理的。也许存在某种视觉效果，但其规则往往与理性和逻辑性毫无关系。对群体说话的艺术或许属于低层次，但需要非同一般的才能。某些剧本，我们在阅读的时候常常无法知道是否会很受欢迎。导演接到这些剧本往往也不能保证肯定会成功，因为要做出判断，他们自己必须变成观众。[①] 这里，如果可以展开论述，我

① 正因为如此，我们不难理解为什么有时一些剧本在遭到所有剧院经理的拒绝后，偶然演出却大获成功。我们知道科佩先生的剧本《为了荣誉》曾在十年当中被所有顶级剧院拒之门外，尽管那时作者已经成名。《夏雷的教母》也曾不被所有剧院看好，最终由一个股票经纪人出资才得以上演，结果在法国演了两百场，在英国演了一千多场。如果没有上述的解释，即剧院经理在心理上不可能等同于观众，便无法理解为什么那些懂行并竭力避免犯如此严重错误的人怎么会做出如此荒谬的判断。我无法在此就这个问题展开论述，但它确实值得好好研究。

们将指出种族的决定性影响。在一国激起群体热情的一出戏在另一国有时要么遭到冷落，要么就是得到一点出于尊重和礼貌的掌声，因为它未动用能激发新观众热情的原动力。

在此我无需强调群体的过激只针对情感，跟智力绝对没有关系。我曾指出，只要个体处于群体中，他的智力水平就急剧下降，而且会下降许多。这也正是塔尔德先生在研究群体犯罪时注意到的现象。因此，仅在情感层次上，群体可能上升得很高，或者相反，跌落得很低。

4. 群体的偏执、蛮横和守旧

群体只了解简单的和极端的情感。他们对于被暗示的意见、观念和信仰不是全盘接受就是全然否定，视其为绝对真理或者极大的谬误。信仰通过暗示被确定，而不是以理性思考的方式被引发，结果总是这样。人人都知道宗教信仰有多偏执，对灵魂的控制有多专横。

由于群体对认定的真理或谬误毫不怀疑，并且可以明确意识到自己的力量，因而既专横又偏执。个体可以容忍矛盾和争论，群体则绝对不能容忍。公共集会上，演说家稍微有一点不同于他们意见，便会立即遭到痛骂和怒吼，而他只要稍作坚持，随即而来的便是被暴打一顿或者被驱逐出场。要是没有当局执法者的威胁，演说家甚至常常被杀害。蛮横和偏执在所有类别的群体中都普遍存在，但程度各不相同。这里，再次出现种族这一基本概念，它掌控着人类所有情感和所有思想。尤其在拉丁群体中，蛮横和偏执发展到了极端程度，甚至彻底摧毁了盎格鲁-撒克逊人强大的个人独立感。拉丁群体只关心其所属宗派的集体独立性，这种独立性的特征就是必须使用暴力立即让所有异端派别的人屈从于他们的信仰。在拉丁民族中，自宗教裁判所时期以来，各个时期的雅各宾派人从不曾开化到接纳另一个自由的概念。

蛮横和偏执对群体而言是一些显而易见的情感，轻易就可以产生，一旦强加在他们身上也很容易被接受和践行。群体顺从于权威，几乎不会被善良打动。对他们来说，善良只是一种软弱的表现。他们对宽厚的主宰者没有好感，对残酷镇压他们的暴君崇拜不已。他们总是为暴君竖立最高的雕像。群体通常藐视被推翻的君主，因为他失去了权威，回到了弱者阶层，人们鄙视他，因为他不再令人恐惧。群体喜欢的英雄类型永远是恺撒那样的人。他潇洒的气质令他们着迷，他的威望使他们折服，他的军刀让他们害怕。

群体时刻准备好要推翻软弱的统治者，奴颜婢膝地屈从于强权的统治。如果统治者的暴行时断时续，习惯屈从于极端情感的群体就会从无政府状态过渡到被奴役状态，再从被奴役状态回到无政府状态，如此循环往复。

只有太不了解群体心理学的人才会认为群体的革命本能起着决定性作用。他们只是因为其暴力行为让我们在这点上产生错觉。群体奋起反抗和破坏的时间向来很短暂。他们过于受无意识控制，甘愿服从古老世袭的权势，因此都极端保守。

如果让群体放任自己，他们马上就会对其骚乱行为感到厌倦，本能地走向被奴役状态。当波拿巴取消所有自由，冷酷无情地显示其铁腕时，坚定拥护他的却是雅各宾派人当中最傲慢、最难对付的人。

对群体极其保守的本能如果没有清醒的认识，就难以理解历史，尤其是人民革命史。群体极想改变其制度的名称，为了得到改变有时甚至进行暴力革命。但是，这些制度的实质反映了种族世代相传的种种需求，所以他们不会常常进行暴力革命。他们的反复多变只针对极其肤浅的事情。实际上，群体天性保守，程度甚至跟所有原始人差不多。他们对传统的盲目崇拜是绝对的，对可能改变其实际生活状况的所有新生事物有着不由自主的极其恐慌。如果在发明机械织机、蒸汽机和铁路的时代，民主就拥有它在今天所拥有的权力，那么这些发明都不可能，或者只能以革命和无数场屠杀为代价才能实现。对文明的进步来说，幸运的是，群体的力量诞生之时，科学与工业的种种伟大发现都已经完成了。

5. 群体的道德

根据我们的理解，道德即对某些社会约定俗成的一贯尊重和对利己主义冲动的长久压制，那么显然，群体太易冲动，过于变化无常，不可能是有道德的人。但是，如果我们把一时出现的某些优点归入道德范畴，如忘我、忠诚、无私、献身、渴求平等，可以说群体有时也被认为是道德高尚的。

少数几个研究群体的心理学家只是从群体犯罪行为的角度研究群体，他们发现群体犯罪率极高，因而认为群体道德水平极其低下。

也许事情往往就是这样，但原因是什么？很简单，因为破坏性的残暴本能是原始时代的残余，潜伏在我们每个人的内心深处。个体独处时，满足这些本能是危险的，而当他融入一个不负责任的群体并因此不会受到处罚时，他便可以毫无顾忌地听任本能的冲动。由于我们通常不能对自己的同类行使这些破坏性本能，便只将它们施加在动物身上。出于同一原因，群体普遍热衷于狩猎和其他群体性残忍行为。群体一步步追杀一个没有自卫能力的受害者，这是一种极其卑劣的残酷行为。但是，对于哲学家来说，群体的这种残暴与十来个猎人聚在一起兴致勃勃地追逐一只可怜的鹿并让他们的狗撕破它的肚子并无区别。

群体能够杀人放火，犯各种罪，但也会表现出高尚的品德如忠诚、献身和无私，甚至比独处的个体表现得更好。人们尤其会对群体中的个体施加影响，甚至常常以一些荣耀、名誉、信仰和祖国情感为理由让他付出生命。历史上类似十字军东征和1793年志愿者的例子不胜枚举。唯有集体能表现出崇高的大公无私和牺牲精神。

无数群体为了一些信仰、观念和听不太懂的词语英勇牺牲。群体罢工更多是为了服从命令，而不是为了提高收入，他们对自己那份微薄的工资很知足。个人利益对群体而言很少是一种强有力的动机，但对于独处的个体来说几乎是唯一的动机。引导群体参加无数场战争的，肯定不是利益，战争对他们的智力来说往往是不可理解的，他们却能在战场轻易牺牲自己的生命，就像猎人使用镜子做诱饵就能轻易捕捉云雀那样。

甚至对于最凶恶的坏人们来说亦如此。这样的情况经常会发生：只要坏人们一聚集成群，立即就会严守道德原则。泰纳注意到，九月屠杀者将在受害者身上发现的钱包和首饰全部上交，而他们其实很容易将它们藏起来据为己有。1848年革命期间，穷苦的群众拥挤在一起，喊叫着冲进杜伊勒里宫，却没有攫取任何令他们赞叹不已的物件，哪怕只要拿走其中的一件就足够他们生活好多天。

当然，个体因为入群而德行大大提高并非一条恒定的规律，但是这种现象很常见，甚至在远不如我刚刚提到的那些情况严重的情形下也可以见到。我说过，观看戏剧时，群体希望剧中主人公道德极其高尚，我们经常可以看到，在观看一场演出时，即使某些观众素质低下，他们通常也会表现出一本正经的样子。惯于享乐的人、皮条客、爱嘲弄人的流氓，面对有些低级趣味的场景或轻佻的语言，常常悄声说话，这同他们平常交谈相比较实在是无可指摘。

所以，群体即便常常放任自己卑劣的本能，有时也会因其道德高尚的行为成为典范。如果无私、顺从、绝对忠诚于某个理想（无论该理想是虚幻的还是实在的）属于高尚的美德，那么我们可以说群体拥有这些美德，其高度往往是最明智的哲学家都达不到的。他们对美德的遵从也许是无意识的，但这没有关系。我们不要过于抱怨群体总是受无意识的控制，几乎不思考。他们若是偶尔进行思考并听从眼前利益的支配，或许地球表面就不会有任何文明的发展，人类也就没有历史了。

第三章
群体的观念、推理和想象

1. 群体的观念。主要观念和次要观念/一些自相矛盾的观念何以共存/必须对超验性观念进行改造，让群体能够理解/观念的社会作用与其可能包含的真理部分不相关联。2. 群体的推理。群体不受推理的影响/群体的推理始终属于特别低的层次/群体组合的观念只是表面相似或有连贯性。3. 群体的想象。群体想象的威力/他们以形象代替思考，形象一个接一个而无任何关联/群体尤其会被事物不可思议的方面打动/不可思议和传说是文明真正的支柱/民众的想象向来是政治家统治的基础/能够打动群体想象的事件是如何呈现的。

1. 群体的观念

我们在上一本书里研究观念在民族发展中的作用时曾指出，每种文明都是由一小部分基本观念派生出来的，这些观念很少发生变化。我们对这些观念如何在群体的灵魂中被确立，它们在进入时遇到哪些障碍，以及进入后所拥有的力量进行了阐述。最终我们了解到历史上的重大动乱何以往往产生于这些基本观念的变化。

关于这个主题我已经做了较深入的论述，在此就不再赘述，现在我仅就那些为群体所接受的观念说几句话，谈谈他们是如何理解这些观念的。

这些观念可以分成两个类别：一类是时事的产物，具有偶然性和暂时性，比如对某个人或者某种学说的痴迷；另一类属于基本观念，因环境、遗传和公论的影响而具有极大的稳定性，比如昔日的宗教信仰、今日的民主和社会思想。

基本观念可以被视为一条缓慢流动的河中的大片水域，暂时性观念好比小波浪，经常多变，弄得水面波浪起伏，小波浪虽然没有实际意义，但比河水本身的流动更显而易见。

如今，我们祖先赖以生存的那些伟大基本观念变得越来越脆弱。它们失去了坚固性，同时，以此为基础而建立的制度也处于深刻动摇中。我刚刚谈到的微不足道的暂时性观念每天都在大量产生，但看上去明显在壮大并可产生重要影响的少之又少。

无论向群体暗示的观念属于哪种，它们只有在具有非常绝对且非常简单的形式时才会成为主流。于是它们便以形象呈现，只有这种形式能被大众理解。这些观念和形象之间没有任何逻辑上的相似或传承的联系，可以互相取代，如同盒子里层层叠放的玻璃幻灯片，操作者可以从里面取出它们。这就是为什么人们可以看到群体中最矛盾的观念反而能够共存。群体积累了在他们理解范围内的各种观念，他们会因为时机的巧合处于其中某个观念的影响之下，因而会做出完全不一样的事情。批判精神的彻底缺失使得群体看不见这些矛盾。

这并非群体特有的一种现象，在许多独处的个体身上也可发现这一点，除了原始人，还包括所有因某一方面的思想与原始人相似的那些人（比如某一疯狂宗教信仰的信徒）。我注意到此现象在一些博学的印度人身上特别明显，他们在我们欧洲的大学接受教育并获得文凭。他们对世代相传的宗教或社会观念坚定不移，同时又谙熟与前者不同源的西方观念，而西方观念的叠加并未对前者造成损害。这两种观念在不同的时间以其特有的行为或语言呈现，于是同一个人表现出极其明显的矛盾。矛盾只是表象而非实际存在，因为对独处的个体而言，唯有世代相传的观念才强大到可以变成行动的动力。只有当人类因思想交锋而处于不同的遗传冲动时，所作所为才会真的每时每刻都是绝对矛盾的。尽管从心理学角度来看这些现象非常重要，但在这里反复强调也没有意义。我觉得至少得花十年时间用来旅行和观察，最终才能理解它们。

由于观念在具有极其简单的形式后才能被群体接受，因而往往得经历彻底改造才能大众化。尤其是当涉及有些深奥的哲学或科学观念时，我们会发现，为了层层下降直到群体能接受的水平而对这些观念进行的必不可少的改造有多么深刻。这些改造取决于群体的社会阶层或所属种族，但总是在减少和简化。这就是为什么从社会的角度来看，实际上观念并无级别

之分，也就是说不存在高级或低级观念。一种观念一旦被群体接受并能产生影响，无论它起初多么伟大或多么正确，都已经失去几乎所有使其崇高和伟大的一切。

此外，从社会角度看，一种观念的等级价值并不重要。必须重视的是它所产生的影响。中世纪的基督教观念、上世纪的民主观念、如今的社会观念，这些显然都不是很高雅的观念。从哲学的角度出发，人们只能将它们视为非常拙劣的误想。然而，它们不仅在过去，在将来也还会产生巨大的作用，并将被长久视为国家行为最重要的因素。

而即便观念经过改造后为群体所接受，也只有通过各种方法（这些方法将在别处探讨）进入无意识并成为一种情感，才会产生影响，这往往需要很长时间。

观念正确就一定能产生影响，甚至对有学问的人也是这样，这种观点是错误的。人们在看到最明白易懂的论证对大多数人几乎不产生作用的时候，立即就明白这个道理了。证据，如果一目了然，就会被一个有学问的人接受，但这个刚被说服的人很快就会被无意识带回自己的原始观念当中。几天后您再去见他，他又会跟您讲旧时的论据，措辞都一样。因为他处在先前观念的作用下，而这些观念已经成为情感，影响着我们的行为和言语的深层动因。对群体来说这不会有什么不同。

而一种观念通过各种途径进入群体头脑，便拥有一种不可控制的力量并引发一系列它必须承受的结果。导致法国大革命发生的那些哲学观念花了将近一个世纪的时间才在群体的头脑里扎根下来。当它们在那里固定下来,人们就知道它们具有无法抗拒的力量。整个民族都激情澎湃,要为获得社会的平等、抽象的权利和理想的自由而奋斗,这动摇了所有王权,使西方世界发生深刻而巨大的变革。二十年间,各民族互相使用暴力,欧洲经历了令成吉思汗和帖木儿感到恐惧的大屠杀。世界从未经历过一种能导致如此严重后果的观念的爆发。

观念需要很长时间才能在群体的头脑里扎根,而从里面出来也需要同样长的时间。因此,从观念的角度来看,群体总是比学者和哲学家要落后几代人。所有政治家如今都十分清楚我刚刚列举的那些基本观念存在着谬误,但是由于这些观念的影响仍然非常强大,他们被迫按照一些原则进行统治,而他们其实并不认为这些原则有道理。

2. 群体的推理

我们不能绝对地说群体不会推理,不受理性思考的影响。不过,从逻辑学角度看,群体使用的论据和那些能对他们产生影响的论据,都属于很低层次,唯有通过类比才能称其为推理。

如同高层次推理,群体的低层次推理也是建立在联想的基础之上的,但群体所联想的观念,它们之间只有表面上的类似或承接关系。这些观念相互连接,其方式是爱斯基摩式的:爱斯基摩人凭经验得知冰是透明的,放在嘴里会融化,由此便推论同样透明的玻璃放在嘴里也应该融化。或者是野蛮人式的:野蛮人认为吃一个骁勇之敌的心脏自己就会变得勇敢。甚或工人的观念联想方式:工人受老板的剥削便会毫不犹豫地断定所有老板都是剥削者。

对不相似的事物进行联想,事物之间只有表面的联系,特殊事件立即会被普遍化,这些就是群体推理的特征。善于操控群体的人总是向他们展示这一类推理。也只有这种推理能影响到群体。逻辑推理链对群体来说是难以理解的,这就是为什么可以说群体不推理或总是错误地推理,且不受任何理性思考的影响。有时,人们在读某些演讲稿时感到很惊讶:讲稿的质量如此差,却对当时在场的群体产生了不可估量的影响。他们忘了,这些讲稿正是为了吸引某些群体而作,而不是给哲学家阅读的。演说家与群体亲密交流,因而善于展现那些能迷惑群体的形象。迷倒群体,他的目的就达到了。二十卷讲稿(往往都是过后制作的)也不如几句能抵达必须拉拢的那些人的头脑的话有用。

群体缺乏正确推理能力,因而没有丝毫批判精神,也就是说分不清真理与谬误,对任何事情都无法发表正确的意见。群体同意的意见都是被强加的,而不是经过商讨得到的。从这点上看,素质不如群体的人有很多。某些观点轻易就能变成舆论,主要就是因为大部分人无法形成一个基于自己推理的个人观点。

3. 群体的想象

如同那些不理性思考的人,群体特有的想象力很强大、很活跃,非常容易被感动。他们因某人、某事、某个意外事故而在头脑中唤起的种种形象与真实的东西几乎一样鲜活。群体与入睡者的情况有些相似：理智暂时中断，脑海里涌现出一些极其鲜活的形象，但如果群体能够进行思考，这些形象马上就消失了。群体既没有思考能力，也没有推理能力，不知道有些事不大可能发生。然而，一般来说，最能打动人的正是那些最不可能发生的事。

所以，最能打动群体的总是事件中最神奇、最不可思议的方面。人们在分析文明时就会发现，实际上构成文明真正支柱的就是那些神奇和不可思议的东西。历史上，表象往往起着比实在更重要的作用，非真实总是压倒真实。

群体只能通过形象进行思考，所以只有形象能打动他们。唯有形象使他们感到恐惧或吸引他们，并成为行动的动力。

因此，戏剧表演显然是以最可感知的形式来呈现形象的，对群体的影响总是最显著的。过去，面包和戏剧对古罗马平民阶层来说是衡量幸福的标准，他们不再需要别的了。在此后的数世纪里，这个标准没怎么变。除了戏剧表演，没有什么更能激发群体的想象。整个剧场的观众同时感到同样的激动，这种情绪没有立即转变为行动，这是因为连最无意识的观众都知道自己是幻觉的受害者，他在为虚构的冒险故事哭或笑。然而有时，被形象暗示的那些情感太强烈了，如同习惯性暗示，有转变为行动的趋势。人们无数次讲到一家大众剧院的故事，剧场出口专门设人保护饰演叛徒的演员，防止观众因叛徒的罪恶（尽管是想象的罪行）而气愤地对演员施暴。

我认为这就是群体精神状态最显著的特征之一，我们尤其也可以通过这一特征来发现，暗示群体是一件非常容易的事情。非真实对他们施加的影响与真实不相上下。他们显然趋向于不对两者加以区分。

征服者的权势和国家的威力就是建立在民众的想象基础之上的，并主要通过对群体的想象施加影响来诱导他们。所有重大历史事件，如佛教、基督教、伊斯兰教的创立，宗教改革，法国大革命，以及现今社会主义的临近，都是对群体想象施加强大影响所导致的直接或间接的结果。

因此，所有国家所有时代的所有伟大政治家，包括最专制的独裁者，无一例外都把民众的想象视为其强权的基础，他们从来没想过要脱离他们的想象进行统治。"我成了天主教徒才结束了旺岱之战，"拿破仑在国务委员会上说，"我成了伊斯兰教徒才在埃及安顿下来，我成了教皇绝对权力主义者才在意大利赢得神父的支持。如果让我统治一群犹太人，我会重建所罗门神庙。"也许，从亚历山大和恺撒起，没有一个伟人不懂得如何让群体的想象发挥作用。他们始终关心的事情就是激发群体的想象，无论是胜利之时，写作、演讲之时，还是在任何行动中；哪怕临终的时候，他们也还在想这事。

如何让群体的想象发挥作用？我们很快就会知道。现在，我们只能说绝对无法通过对群体的智力或理性施加影响，即通过论证的方式，达到这一目的。安东尼没有用深奥的巧辩术煽动民众去反抗谋杀恺撒的凶手，而是一边指给他们看恺撒的遗体一边宣读他的遗嘱。

激发群体想象的这一切都是以强烈的且极其清晰的形象呈现的，排除了一切无关紧要的阐释，或者只附加几个不可思议的或神秘的事件，如一场重要的胜利、一个伟大奇迹、一桩严重罪行、一个强烈希望。必须从整体上呈现事情，千万不要指出它的起源。一百桩小罪行或一百次意外事故根本不会影响群体的想象，而一桩大的犯罪、一次重大事故会令他们深感震惊，即便后果比一百次事故加起来造成的伤亡要小很多很多。几年前，流行性感冒肆虐，仅巴黎几周内就有五千人死亡，却没怎么影响群体的想象。实际上，这场真正的灾难没有以某种可见的形象呈现，只有周报上公布的统计数字。而如果同一天在某个公共场合发生了一个事故且有图像显示，比如说埃菲尔铁塔倒塌，哪怕只有五百人死亡，而不是五千人，都会对群体的想象产生不可估量的影响。一艘穿越大西洋的船失联，人们推测它可能沉入海底了，这在一周内深深触动了群体的想象。而官方数据显示仅这一年就有一千艘大船失事。无论是生命还是物资的损失，相比刚才提到的那艘穿越大西洋的船，这些相继发生的事故造成的损失要重大得多，群体却没有对此表示丝毫关注。

因此，影响大众想象的并非事件本身，而是传播和呈现事件的方式。必须对事件进行“交配”——如果我可以这么表达的话，以制造出某种惊人的形象，填满大众的头脑，挥之不去。懂得激发群体想象力的人也就掌握了统治他们的艺术。

第四章
群体的所有信仰所具有的宗教形式

宗教感构成之要素/它与敬仰某个神无关联/它的特征/具有宗教形式的信仰之力量/各种例子/民众之神从未消失过/它们得以重生的新形式/无神论的宗教形式/从历史的角度看这些观念的重要性/宗教改革、圣巴泰勒米大屠杀、恐怖时期以及所有类似事件，都是群体宗教情感带来的后果，而非出自独处的个体之意愿。

我们曾指出，群体不思考。对于观念，他们要么整体采纳，要么一概否定。由于他们既不容忍争议也不接受相反意见，对他们产生影响的那些暗示便整个一起涌进他们的理解范围，很快就会转变为行动。我们说过，群体在受到恰当的暗示时，随时都可以为了暗示给他们的理想而献出自己的生命。我们也看到，他们只懂得粗暴而极端的情感，在他们身上，同情很快就转变为崇拜，反感刚产生就变成了仇恨。从这些普遍存在的迹象已经能看出他们的信仰属于什么性质了。

仔细研究群体的信仰，无论是在信仰时代还是政治大动荡时期（如18世纪），我们便可发现这些信仰始终有个特别的形式，我用宗教情感来命名其特性，没有比这个词更恰当的了。

这种情感的特点很简单：崇拜一个想象中的上帝，害怕它可能具有的神奇力量，盲目服从它的命令，对它的教理坚信不疑，渴望传播这些教理，凡是不接受教理的人都有可能被视为敌人。这样一种情感适合某个看不见的上帝，某个用石块或木头制作的偶像，某个英雄或某个政治理想，它自呈现出上述特征起就始终保持着宗教本质。超自然和神迹在宗教情感里处于同一等级。无意间，群体就赋予政治用语或者此刻令他们着迷的获胜首领一种神秘的力量。

仅仅崇拜某个神还算不上信教，除非把所有精神资源、所有服从意愿、所有狂热崇拜都投入到某项事业中或为某个已然成为思想和行动的目标和导师的人效劳。

偏执和狂热崇拜是构成某种宗教情感必不可少的因素。它们一直伴随着那些自以为掌握了人间或天堂幸福的人。它们存在于所有受到某种信仰的煽动而结成团体的人身上。恐怖时期的雅各宾派人和宗教裁判所时期的天主教徒一样，都是彻头彻尾的信教者，他们惨绝人寰的热情出于同一根源。

群体的信仰具有宗教情感固有的这些特点：盲从、极度偏执、疯狂传教的欲望。这就是为什么我们可以说，他们的所有信仰都具有某种宗教

形式。群体拥护的英雄对他们来说真的就是一个神。拿破仑当了十五年的神，从来没有哪个神能跟他比，有如此忠诚的崇拜者。没有一个神像他那样轻易就送人去死。异教和基督教的神也没能像他那样绝对控制被征服者。

所有宗教或政治信仰得以创立，就是因为创立者善于向群体施加宗教狂热的情感，让人们在崇拜与服从中找到自己的幸福，并做好准备随时为偶像献出自己的生命。所有时代都是这样。甫斯特尔·德·库朗日[①]在他那本关于罗马的高卢人的精彩著作中明确指出，罗马帝国能持续统治，绝不是靠武力，而是靠它所激起的宗教热情。“一个受到全体居民憎恨的制度持续了五个世纪，”他不无理由地说，“这是史无前例的……罗马帝国的三十个军团能迫使一亿人服从自己，这没法解释。”他们服从，这是因为皇帝象征着罗马的强盛，像神一样受到大家一致的崇拜。在帝国最不起眼的小镇，皇帝都有他的祭坛。“人们看到那时期，整个帝国的人心里都滋生出一种新的宗教，而神就是皇帝本人。公元前几年，整个高卢的六十个城镇在里昂附近共同为奥古斯丁建造了一个神殿……其神父，由高卢城镇会议选举产生，都是地方的重要人物……将这一切归因于恐吓和奴役是说不通的。不可能所有民族都受到奴役，且长达三个世纪。不是朝臣崇拜君王，是罗马。不只是罗马，是高卢，是西班牙，是希腊和亚洲。”

① 库朗日（Fustel de Coulanges，1830—1889），法国著名历史学家和社会学家，著有《古代城邦——古希腊罗马祭祀、权利和政治研究》等。——译注

如今，大多数著名的征服者不再有祭坛，但他们有雕像或画像，而人们对他们的顶礼膜拜和过去人们对君王的崇拜迷信没有显著差别。我们只有深入了解群体心理学的这个要点，才能明白一点历史哲学。必须做群体的神，否则就什么都不是。

不要认为这是已被理性驱逐的另一个时代的迷信。在与理性的永恒战斗中，情感从未被击败。如今群体再也不想听到“神”和“宗教”这些词，因为他们曾在很长时间内在此名义下饱受奴役。但是，他们崇拜的神绝不比一百年前少，古老的神根本没有这么多雕像和祭坛。近年来，那些以布朗热主义之名研究人民运动的人终于发现，群体的宗教本能随时可以轻易复活。没有哪家城镇小旅馆没有英雄的画像。人们赋予他消灭一切不公正和一切罪恶的力量，无数人愿意为他献出自己的生命。如果他的品格还能支撑自己的传奇故事，那他在历史上不知道要占据多重要的位置！

因此，反复说群体需要一种宗教，这是极其无用的陈词滥调，因为所有政治信仰、对神的信仰和社会信仰必须始终具有宗教形式（这能让他们躲避讨论）才会被群体接受。无神论能被群体接受，就是因为它具有某种宗教情感排斥异己的强烈欲望，当这种情感流露出来，它很快就变成一个被人崇拜的对象。实证主义小宗派的发展为我们提供了这方面一个有趣的例证。思想深刻的陀思妥耶夫斯基给我们讲述了一个故事，发生在那个虚无主义者身上的事情没过多久就在他身上重演了。某天，被理性之光照亮的他将一个小教堂祭台上的神像和圣象全部摧毁，他熄灭了蜡烛，没有浪费一分钟，就在祭台上放了几个无神论哲学家如比希纳和莫勒斯赫特[1]的著作，然后虔诚地点燃蜡烛。他的宗教信仰之对象变了，而他的宗教情感呢，我们真的可以说也改变了吗？

我再重复一遍，只有意识到这种宗教形式——群体的信仰总是以采取这种宗教形式而告终——我们才能很好地理解某些历史事件，确切地说最重要的历史事件。有些社会现象，必须更多地从心理学角度而不是自然主义角度加以研究。我们伟大的历史学家泰纳仅仅作为自然主义者研究了法国大革命，这就是为什么他忽略了事件的真正起源。他对事件做了全面的观察，但由于缺乏群体心理学知识，他始终没能追溯大革命的起因。那些事件血腥、混乱和残暴的一面使他感到恐惧，他只把那些史诗般的英雄看作一帮狂乱的野蛮人，毫无顾忌地听任其本能的冲动。而如果我们想到大革命只不过是在群体心里种下的一个新的宗教信仰，那么法国大革命的种种暴力、屠杀、蛊惑人心、向所有国王宣战，所有这些都不难理解了。宗教改革、圣巴泰勒米大屠杀、宗教战争、宗教裁判所、恐怖时期，这些都是同一类现象，都是由群体完成的，他们受到这些宗教情感的激励，结果必然是毫不留情地，用铁和火，根除一切阻碍建立新信仰的东西。宗教裁判所使用的那些方法是所有真正坚信教义的人的做法。如果他们使用别的方

① 比希纳（Buchner，1824—1899），现代药理学奠基人，德国无神论哲学家，著有《力量与物质》；莫勒斯赫特（Moleschott，1822—1893），德国生理学家和哲学家，著有《生命的循环》等。——译注

法，那他们就不是坚信教义的人了。

与我刚刚列举的那些与大动乱相似的动荡，只有当群体想让它们出现时才会发生，否则最专制的独裁者也发动不起来。如果历史学家告诉我们，圣巴泰勒米大屠杀是某个国王的杰作，那就说明他们既不了解群体心理学也不了解国王的心理。这样的做法只能出自群体的头脑。由最独裁的君主统治的最专制的政权也只能提前或推后一点爆发时间。圣巴泰勒米大屠杀和宗教战争不是国王发动的，正如恐怖时期也不是罗伯斯庇尔、丹东或圣茹斯特[1]制造的。在这些事件的背后，我们总能发现群体的心理，而绝不是国王的强势。

---

① 圣茹斯特（Louis de Saint-Just，1767—1794），法国大革命雅各宾专政时期的领导人之一，也是罗伯斯庇尔最坚定的盟友。——译注

第二卷

群体的观点和信仰

第一章

群体的观点和信仰之间接因素

群体信仰的预备性因素/群体信仰的产生是先前设计的结果/对这些信仰的各种因素的研究。1. 种族。它施加的主要影响/它呈现了先辈的暗示。2. 传统。它们是种族思维的概括/传统的社会影响/曾经是必不可少的传统，为何变成了有害的东西/群体是传统观念最顽强的守护者。3. 时间。它先为信仰的创立做准备，继而毁了它们/秩序因它而得以摆脱混乱。4. 政治和社会制度。对它们作用的错误看法/它们的影响力极其微弱/它们是结果，而非原因/民众不可能选择在他们看来是最好的制度/制度是标签，同一称号下隐藏着完全不同的事物/制度如何得以建立/一些从理论上讲属于坏的制度，比如中央集权，对某些民族来说却是必不可少的。5. 知识和教育。关于教育对群体的影响，当前存在的错误观点/统计显示/拉丁教育对道德的败坏作用/教育可能施加的影响/不同民族提供的例子。

我们刚刚研究了群体的思想构成。我们对他们的感觉、思考、推理方式有所了解。现在,我们来看看他们的观点和信仰是如何产生并确立的。

这些观点和信仰的确定性因素有两类:间接因素和直接因素。

间接因素使群体能够接受某些信仰而不受其他信仰的影响。它们准备好了阵地,人们看见一些新观念突然在那里开始产生,其威力和效果大得惊人,但这种无意识只是表面上的。群体中某些观念的突然出现和实施有时会呈现出一种闪电般的迅速。这只是一种表面效果,人们应该在这背后寻找先前所做的长期准备工作。

直接因素指的是那些在群体中制造积极诱导性,即让观念成形并不计后果地激发舆论的因素。直接因素与长期准备工作同时发生,没有后者直接因素就不可能产生效果。突然使集体振奋的那些决定就是在这些直接因素的作用下产生的。骚动的爆发或罢工的决定,多数派执政党推选一个人执政或推翻一个政府,都是由直接因素引发的。

纵观历史上的所有重大事件,我们发现这两类因素是交替施加影响的。只举一个最有说服力的例子:法国大革命。它的间接因素有哲学著作、贵族的敲诈勒索、科学思想的进步。已有心理准备的群体随后很容易就被一些直接因素激怒,如演说家的演讲、宫廷对一些无关紧要的改革的抵抗。

间接因素当中,有些是普遍存在的,深入了解群体的信仰和观点就可以发现它们:种族、传统、时间、制度、教育。

接下来我们要研究这些不同因素的作用。

1. 种族

种族这个因素按次序应当排在首位，因为唯有它的影响比其他因素都大许多。我在另一部书里对它做了充分的研究，在此不再赘述。在上卷中，我们指出了历史上的一个种族是什么样子的，当它的特点形成后，因为遗传法则的作用，它便拥有了强大的力量，以至于它的信仰、制度、艺术，总之，形成其文明的所有要素，都只是其心理的外在表现。我们曾说过，种族的力量极其强大，任何要素不经历深刻的变化都不可能从一个民族渗透到另一个民族。[①]环境、形势、事件相当于当时的社会暗示。它们有可能产生巨大影响，但如果它违背了种族，即所有同类祖先的暗示的话，那么这种影响始终是短暂的。

在本书的好几章里，我们还有机会再谈种族影响，并证明这种影响很大，可以掌控群体心理专有的那些特点。由此我们看到这一事实：不同国家的群体，其信仰和行为呈现出巨大的差异，因而不会以同样的方式受到影响。

① 这个观点还很新颖，没有它，历史就变得完全不可理解，我在《民族进化的心理定律》中用了好几章阐述这个观点。读者从中可以看到，尽管存在着一些迷惑人的现象，但无论是语言、宗教还是艺术，即构成文明的一切要素，都不会完好无损地从一个民族渗透到另一个民族。

2. 传统

传统即过往的观念、需求和情感。它们是种族的综合性要素，其全部重量压在了我们身上。

自从胚胎学揭示过往在生物进化中的巨大作用以来，生物学发生了改变，如果此概念传播得更广，历史学也同样会发生改变。胚胎学还没有得到广泛传播，许多政治家还停留在上个世纪那些理论家的观念里，他们认为社会可以与其过往决裂并在理性之光的照耀下进行全面重建。

民族是由过往所创造的一个有机体，同任何有机体一样，它只能通过漫长的遗传积累发生改变。

指导人们行为的是传统，尤其当人们处于群体中时。正如我多次重复的那样，对于传统，人们很容易改变的只是它们的名称和外部形式。

无须对此感到遗憾。没有传统，就没有民族之魂，也不会有文明。因此，人类自诞生之日起就忙于两件大事，一是给自己创建一个传统结构，二是当这些传统不再产生好的效果时便想方设法将它们摧毁。没有传统就没有文明，而不消灭这些传统就没有进步。但是要在稳定和变化之间找到恰当的平衡，这就太难了。如果一个民族好几代人都固守一些习俗，那它就再也不可能发生变化，变成像中国那样无法进步。暴力革命对此无能为力，因为其结果不是砸碎的锁链被重新焊上，过往继续其毫无变化的绝对控制；就是碎片撒得到处都是，混乱之后衰败接踵而来。

所以，对一个民族来说，最理想的是保留旧制度，缓慢地，一点一点地

改造它们。这个理想很难实现。大概只有古代罗马人和近代英国人实现了这个理想。

传统观念最顽强的守卫者和坚决反对改变传统的，正是群体，尤其是组成社会集团的那些群体。我曾坚持认为群体思想保守，并曾指出最剧烈的暴乱结果也只是词语的变化。18世纪末，面对倒塌的教堂、被驱逐或斩首的神父、全世界对天主教派的迫害，人们可能认为旧宗教观念失去了全部威力，然而没过几年，面对普遍的抗议，恢复已被废除的宗教信仰势在必行。①

旧传统只消失了一会儿便又恢复了统治。

没有比这更好的例子来证明传统对群体心理的影响有多大。最令人生畏的神不在神庙里，最专制的暴君也不在宫殿里。暴君可以瞬间被消灭，但是操纵我们思想的那些看不见的统治者不受任何暴动的影响，只顺从于长时期的缓慢衰弱。

3. 时间

在社会问题——如同生物问题——中，最有效力的一个因素就是时间。它是独一无二的真正创造者也是独一无二的巨大破坏者，是它用沙粒

---

① 泰纳引用的前国民议会议员福克罗瓦的报告对这个观点做了清楚的说明："到处都能看到人们庆祝礼拜日，频繁前往教堂，这说明大多数法国人想回到旧习俗中去，抵制这种民族倾向是不合时宜的……群众需要宗教、礼拜和神父。认为教育普及到一定程度就可消灭宗教偏见，这是某些当代哲学家的错误认知，我本人也犯过这种错。宗教对于大多数不幸者来说是一种慰藉……因此必须让人民群众有他们的神父、祭坛和礼拜仪式。"

堆成一座座山峦，将地质时代不起眼的细胞升华到人类的尊严。要想改变某一现象，只需漫长的时间。有人说一只蚂蚁如果有充分的时间，能把勃朗峰夷为平地。一个人如果拥有可以随意改变时间的神奇力量，就会拥有信徒们赋予上帝的威望。

但此刻，我们要研究的仅仅是时间在群体观点的产生中所起的作用。从这个角度看，时间的作用还是巨大的。时间掌控着强大的力量，如种族，没有它这些强力就不可能形成。所有信仰因为时间的存在而得以诞生、成长、死亡，它们因为时间获得力量却也因为它而失去力量。

群体的观点和信仰产生的前提主要是时间，也就是说时间是它们得以萌芽的条件。这就是为什么有些观念在一个时代是可行的，而在另一个时代却行不通。是时间将这么多信仰和思想的碎片聚集在一起，在此之上诞生了一个时代的种种观念。这些观念不是偶然和盲目出现的，其中的每一个都植根于久远的过去。它们开花了，因为时间为此做好了准备。我们始终必须追溯过往才能理解观念是如何产生的。它们是过往的女儿和未来的母亲，始终受时间的束缚。

因此，时间是我们真正的主人，要想看到某事发生变化，让它自由行动就够了。如今，我们对群体咄咄逼人的种种诉求、他们预言要进行的一些破坏和动乱深感不安。时间将独自承担起重建平衡的责任。“没有一个制度是在一天内建立起来的，”拉维斯[①]先生很中肯地写道，“政治和社会组

① 拉维斯（Lavisse，1842—1892），法国历史学家，著有《普鲁士历史研究》等。——译注

织是需要几个世纪才能造就的产物。封建制度曾在数百年间丑陋、混乱，然后才找到自己的规章制度。君主专制政体也持续了数世纪，然后才找到合法的统治手段。在等待的这段时间里发生过大的动乱。”

4. 政治和社会制度

有一种观点：制度可以医治社会弊病，民族的进步是制度和政体臻于完善的结果，社会变革可以通过法令来实现。我要说，这种观点十分普遍。法国大革命就是以它为出发点的，当前的社会理论也是以它为依据的。

连续不断的试验也还没能真正动摇这个可怕的幻想。哲学家和历史学家试图证明这一观点的荒谬性，却是枉然。不过，他们也明确指出，制度是观念、情感和风俗的产物，重新制定法典并不能彻底改变观念、情感和风俗。任何一个民族都不可随意选择自己的制度，就像它不能选择自己的眼睛或头发的颜色那样。制度和政体是种族的产物。它们不能创造一个时代，而是为时代所造就。对民族的统治不是依据民众一时的爱好，而是性格使然。一个政治制度的形成需要数世纪，改变它同样需要几百年。制度没有固有美德，它本身无好坏之分。在一定时期内，对一定民族来说是好的制度，对另一个民族来说有可能是极坏的。

因此，对一个民族而言，它完全没有能力真正改变自己的制度。当然，如果以暴力革命为代价，它可以给制度换个名称，但本质没有变化。名称只是些无用的标签，对问题的实质稍做探究的历史学家都不会在乎这些标签。比如说，世界上最民主的国家是英国[①]，但它仍然是君主政体，而那些原属西班牙的美洲共和国却是专制最猖獗的国家，尽管它们实行的是共和制宪法。民族的命运是民族性格而非政体造就的。这是我在前一部书里以一些明白无误的例子为依据试图确立的一个观点。

因此，浪费时间去创建一套宪法，这是一项可笑的工作，是无知的夸夸其谈的演说家所做的无用之功。需求和时间负责制定宪法，而我们的才智就是让这两个因素发挥作用。盎格鲁-撒克逊人就是这么做的，他们伟大的历史学家麦考利[②]有一段文字就是这么说的，所有拉丁国家的政客们都应该熟记这段话。在证明法律（从纯理性角度看，这些法律似乎是荒谬和矛盾的混合体）带来的全部好处后，他把欧洲和美洲的拉丁民族在大动乱中消亡的十来个宪法与英国宪法进行了比较，并指出英国宪法的变化很慢，而且是局部的，只受当下需求而绝非思辨推理的影响："不关心对称性，很在乎实用性。绝不会仅仅因为出现异常就要去除它。如不是明显感到不适绝不进行革新，革新也只到摆脱不适便停止的程度。绝不超出特殊病例的范围扩大治疗。这些就是自约翰时代到维多利亚时代的规则，我们的

① 在美国，甚至连最激进的共和党人都承认这一点。美国《论坛》杂志最近表达了这种观点，我从1894年12月刊《评论中的评论》上摘录如下："人们永远都不应该忘记，甚至最狂热反对贵族政治的人也这么认为，英国是当今世界上最民主的国家，个人权利得到最大程度的尊重，个人享有最大的自由。"

② 麦考利（Macaulay，1800—1859），英国历史学家、政治家，著有《英国史》等。——译注

二百五十个议会的决议通常都是按这些规则制定的。”

我们必须一条一条地考察每个民族的法律和制度，从而证明它们是种族需求的表达，因而不会强行被改造。我们可以从哲学的角度谈论集权制的好处和弊端，可是，当我们看到一个由不同种族构成的民族历经千年的奋斗才逐步实现这种集权制，当我们发现一场以粉碎所有旧制度为目标的伟大革命，不但要尊重这个集权制，还要求强化它，这时，我们可以说它是迫切需求之产物，甚至是一种生存条件，对于声言要摧毁集权制的那些政治家，我们真的对他们狭隘的思想境界深表同情。如果他们意外获得成功，那么成功的那一瞬间就会引发一场可怕的内战[①]，带回一个比原先更无法忍受的新集权制。

根据前面所说，我们可以推论，不应该在制度里寻找深刻影响群体心理的方法。当我们看到一些国家如美国因民主政体而达到高度繁荣，而同时我们也看到其他国家如那些说西班牙语的美洲共和国，尽管体制完全相同却生活在最黑暗的混乱中，这时，我们完全可以说这些制度与一些国家的强盛无关，与另一些国家的衰败也同样无关。民族受其性格操控，凡是

① 宗教和政治的严重分歧造成法国各党派的分离，这尤其是种族问题，如果把它与法国大革命时期就出现，德法战争结束之际重新显现的分裂主义倾向进行比较，就会发现存在于我们这块土地上的不同种族远远没有实现融合。大革命时期强大的集权制以及设立一些人为的部门负责合并所有的旧省，这无疑是它做得最对的一件事。那些缺乏远见的人如今都在谈论分权制，如果这种制度得以实现，它很快就会导致最血腥的混乱。否认这一点，也就是彻底忘记我们的历史。

没有依据民族性格发自内心打造的任何制度都只是一件借来的外衣、暂时的伪装而已。当然，为了强制性地推行某些制度（如同圣人的圣物，这些制度被认为具有创造幸福的超自然力量），发生过血腥战争和暴力革命，以后还会发生。因此，在某种意义上，我们可以说制度对群体的心理产生功效，因为它能引发同样的暴动。不过，其实并不是制度在起作用，因为我们知道无论成功还是失败，制度本身不具有任何功效。对群体心理产生功效的，是幻想和词语。尤其是词语，那些虚幻而有力的词语，我们很快就会指出其惊人的影响力。

5. 知识与教育

如今，在一个时代的主导性观念（我们在别处曾提示这些主导性观念只有几个但力量很强大，虽然它们有时纯属幻想）中占据首位的，是认为知识能使人类得到极大的改变，并且肯定能使人类变好，甚至使人类之间变得平等。仅仅因为不断地重复，这种说法最终成为民主政体坚不可摧的一个信条。现在很难去改动它，就像从前很难改动天主教会的信条一样。

不过，在这个问题上，和在许多其他问题上一样，民主观念与心理学和经验得出的数据存在着严重分歧。一些著名哲学家，其中就有赫伯特·斯宾塞，都曾明确指出知识既不会使人变得更有道德，也不会使人变得更加幸福，它不会改变人类世代相传的天性和情感，只要稍微引导不当，它就是非常有害的而不是有用的。统计学家也证明这些观点是对的，他们告诉我们，随着知识或者至少某种知识的普及，犯罪率提高了。社会的最大敌人，即无政府主义者，往往来源于优秀学生。阿道夫·吉约是一位杰出的法官，在最近的一项工作中他提醒大家注意，现在受过教育的罪犯同文盲罪犯的比例是3∶1。五十年间，犯罪行为在每四十万居民中的数量从227起增加到552起，增幅达133%。他和他的所有同事还注意到，犯罪行为的增长尤其涉及青年，我们知道，这个时期的青年全部享受免费义务教育，过去的学费制已被淘汰。

当然，认为正确的知识也不能带来很有用的实际效果，这是不对的，没有人会支持这种观点，好的教育即使不能提升道德水平，至少可以培养专业能力。不幸的是，拉丁民族将其知识体系建立在极其错误的原则上，特别是最近二十五年，他们不顾那些杰出学者们的意见，坚持自己可悲的错误。我本人曾在许多著作[①]中指出，我们现今的教育把大部分接受教育的人改造成了社会的敌人，为最糟糕的社会主义形态造就了许多信徒。

这种教育（举个十分恰当的例子：拉丁教育）的最大危害，就是它建立在以下基本心理学错误之上，即认为熟记教材就能增长才智。从此大家都拼命死读教材。从小学到博士或者到教师资格考试，年轻人只会死啃书本，而判断力和首创精神从未得到训练。知识，对他们来说，就是背诵和服从。“学课文，熟记语法或一段课文摘要，不断重复、模仿，”前公共教育部

① 参见《社会主义心理学》，第三版。《教育心理学》（第五版）。

长朱尔·西蒙（Jules Simon）先生写道，“这是一种可笑的教育，任何努力都是对老师的正确无误表示信任，结果是消耗我们的能量，使我们变得无能。”

这种教育如果仅仅是无用的，我们可能也只是对那些不幸的孩子深表同情，他们在小学有那么多必要的知识要学，可老师更喜欢教科劳泰尔后裔族谱、纽斯特利亚和奥斯特拉西亚[1]的战斗，要不就是动物的分类。但我要说的是这种教育具有更大的危害性。它让接受教育的人对自己的出生状况表现出强烈的厌恶感，并极力想摆脱它。工人不想再当工人，农民不想再当农民，最卑劣的中产阶级只想自己的儿子当国家公务员。学校培养的一些人，不是为生活而学习，仅仅是为入公职做准备，因而，他们无须有好的道德行为也无须显示丝毫创造力便可获得成功。这种教育在社会下层创造出了大批无产者，他们对自己的命运不满，时刻准备造反。在社会上层则造就了我们轻浮的中产阶级，他们既多疑又轻信，对福利国家的信任带有迷信成分，却又不断地指责它，总是把自己的错误归咎于政府，而没有权力机关的介入又什么事都做不成。

国家用教材制造了所有那些有文凭的人，但只能使用极少数人，不可避免地让其他人失业。因此，它必须心甘情愿地养活前者，让后者与自己作对。社会金字塔从下到上，从普通职员到教授和省长，一大群毕业生如今都在围攻这些职业。商人要找到一个代理去殖民地工作比登天还难，不

① 纽斯特利亚和奥斯特拉西亚是中世纪法兰克人建立的两个王国。——译注

计其数的候选者都在申请最不起眼的政府岗位。仅塞纳省就有两万小学教师失业，他们因不屑在田间和车间干活，便向国家申请生活补助。运气好的人数有限，不满的人必然很多。这些不满者时刻准备加入所有革命中，也不管首领是谁以及目的是什么。获得的知识找不到用武之地，这种教育必然把人造就成反抗者。①

要逆流而上，显然已为时太晚。唯有经验——各民族最后一位教育者——将担负重任向我们指出我们的错误所在。只有它能够证明必须抛弃我们那些讨厌的教材、可悲的竞赛，代之以专业知识，把青年重新引向如今他们力图不惜一切代价躲避的田间、车间和殖民地企业。

那些见多识广的人现在强烈呼吁的这种专业知识，正是我们的祖先过去所接受的一种教育方式，也是当今那些以他们的意志、创造力和企业精神统治世界的民族所善于保存的。伟大的思想家泰纳先生在一些精彩的篇章中（稍后我会引用其中最重要的部分）明确指出，我们过去的教育有点像现今英国或美国的教育，在对拉丁体系和盎格鲁-撒克逊体系进行的

① 而这并不是拉丁民族特有的一种现象，我们在中国也可观察到，这同样是一个由牢不可破的官员阶级统治的国家。在中国，如同在我们国家，官职是通过考试选拔的，而考试内容就是心平气和地背诵厚厚的教科书。众多无业文人如今在中国被视为民族灾难。印度的情况也一样，自从英国人在那里开办学校（不是像在英国那样为了教你怎么做人，而仅仅是为了教土著人知识）以来，一个特殊的文人阶级出现了，叫Babous，即印度绅士。这些人在无人聘用时，就成了英国当局最不妥协的敌人。对所有印度绅士来说，不管是有工作还是没有工作，教育对他们产生的最大影响就是道德水平大大下降。我在《印度之文明》一书中对此做了长篇的论述，所有到访过这个大半岛的作者都注意到了这个现象。

一项引人注目的比较中，他清楚地揭示了两种方法带来的后果。

从表面上看学生获取了那么多的知识，那么多课本背得滚瓜烂熟，如果这样做能提高他们的智力水平的话，那么人们在极端严谨的情况下也许会仍然赞成、接受我们传统教育的弊病。但是，智力水平真的提高了吗？很遗憾，没有！判断力、经验、创造力和性格，这些才是在生活中取得成功的必要条件，而这些在书本中是得不到的。书本是值得参考的词典，但把大段的章节记在脑子里是完全没有用的。

在完全避开传统知识的前提下，专业知识如何才能发展智力呢？泰纳先生对此做了很好的说明：

观念的形成有赖于它们处于正常的自然环境中。让思想的苗子得以生长的，是无数感性印象，即年轻人每天在车间、矿山、法庭、事务所、工地、医院获得的，或当他们看到工具、材料以及工序的景象时，当他们面对顾客、工人、劳动、做的或好或不好的产品、花钱多的或赚钱的工作时。这些是眼睛、耳朵、手乃至鼻子所接收的特殊的细微感知，是无意间获得的并悄悄被加工、组织起来，以便总有一天让他们想起这么好的新组合，简单、经济、先进或富有创意。所有这些极其宝贵的接触，所有这些可以掌握且不可或缺的要素，法国青年却得不到，而且是在他们富有创造力的年龄。他们被关在一所学校里七八年，远离个人的直接经验，而这种经验会让他们对事物，对人以及操纵

> 人的各种方式有准确而鲜活的概念。
>
> 十人当中至少有九人浪费时间，白白辛苦，他们虚度了一生中的好些年，而且是工作效率高、重要的甚至是关键的那几年。你们算算，首先参加考试的人当中就有一半或三分之二的人没有被录取，然后，在那些被录取、毕业、拿到文凭和学位的人当中，又有一半或三分之二的人劳累过度。人们对他们的要求太高，要他们在某一天，面对一个科学小组，连续两个小时坐在椅子上或站在黑板前，充当人类全部知识的活字典。那天，两个小时当中，他们确实回答了或者说差不多回答了所有问题。可是，一个月后，他们再也做不到了，他们无法再经受一次那样的考试。他们获得的知识太多太沉重，它们不停地溜出大脑，而他们又没有学到新的知识。他们精力衰退，想象力枯竭，等到成年，往往已不可救药。他们过着规规矩矩的家庭生活，结婚，甘愿陷于循环，而且是没完没了地重复同一个循环，满足于待在其狭小的办公室里，他们规规矩矩尽职，仅此而已。这就是教育的一般回报。收益和付出肯定不相当。在英国和美国，如同大革命前的法国，人们使用相反的方法，收益等同或高于付出。

这位著名历史学家接着向我们指出我们与盎格鲁–撒克逊人在教育体系上的差异。他们没有我们这么多的专业学校，在英国，学生不是从书本上学知识，而是从事物本身出发。比如，工程师是在车间而绝非在学校里培养出来的。这使每个人都能恰如其分地达到其智力所及的程度，如果他不能学得更深，可以当工人或工长，如果他有能力进一步深造，可以当工程师。与让一个人的全部人生取决于十八或二十岁时经历的一场数小时的考试相比，这种方法更民主，对社会更有利。

> 被录取的学生还很年轻就要在医院、矿山、工厂，或在建筑师、律师家里当学徒和实习，这有点像在我们国家，文书要去事务所或艺徒要去画室一样。进去之前，学生可以上几门通识课和基础课，以便形成一个框架，可以把他即将要观察到的东西放进去。不过，在他能理解的范围内，经常有几门技术课，他可以在空闲时间去上，以便与日积月累得到的日常经验同步。在这样的教育体制下，学生的实践能力得到增强，达到他自身能力所及的水平，并通过专业劳动（从现在起他就希望适应这种劳动）按照将来的工作所要求的方向发展。因此，在英国和美国，年轻人很快就能用上自己学到的所有知识。从二十五岁起，如果不缺少物质和资金的话就更早，他不仅能成为一个有用的技师，还能自发成为一个企业家，他不仅是齿轮，还可以是发动机。法国倡导的是相反的培养模式，教育方法一代比一代更中国化，浪费的精力太多了。

这位伟大的哲学家就我们的拉丁式教育与生活的不相容性做了如下总结：

在学知识的三个阶段——童年、少年和青年，孩子们坐在板凳上通过书本进行理论和学业的准备，这个过程漫长且学业繁重，为了考试、升学，获得文凭和证书，仅仅是为了这些，此外方法也是最糟糕的，实施的是一种反自然、反社会的教育体制，实践课安排过迟，在寄宿学校里进行人为的训练，机械式的填充，最终疲劳过度。这种教育不考虑孩子们的未来，他们成年后要履行成年人的职责，不考虑年轻人即将进入现实世界并有可能在那里跌倒，不考虑必须提前让他们适应或顺从社会环境，不考虑在人类冲突中，为了自卫和不倒下，他们必须事先准备好，披上盔甲，训练有素且坚强不屈。这种必不可少的装备，这种比所有其它知识都重要的素养，这种扎实的常识、坚强的意志和稳定沉着，是学校无法给予的。与之相反的是，学校不仅没有让他们学到真正的知识，反而让他们失去在未来获得最终社会地位所需的种种能力。当他们离开学校进入社会，一迈入实际工作领域就常常摔得头破血流。他们为此深感痛苦，长期闷闷不乐，有时在家自残。这是一种严峻而危险的考验。道德和精神的平衡遭到破坏，有可能再也恢复不了。幻灭降临，来得太突然太猛烈。失望太大而挫折感太强了。①

① 泰纳《现代制度》，卷二，1891年。这些段落差不多是泰纳写下的最后文字。它们令人赞叹地概括了这位伟大的哲学家长期实验的结果。遗憾的是，我觉得我们那些没有在国外定居过的大学教授对此完全无法理解。教育是我们所拥有的唯一能对民族灵魂施加些许影响的手段。而在法国，几乎没有人能认识到我们目前的教育是加速衰败的可怕因素，它没有提升年轻人，而是使他们变得堕落、败坏，一想到这些我就深感悲哀。

我们前面所说的远离群体心理学了吗？当然没有。如果我们想理解今天在群体中萌芽的，明天将诞生的那些观念和信仰，就必须知道制造它们的土壤是如何准备的。从一个国家给予年轻人的教育便可知道这个国家未来会怎样。当下给予年轻人的教育解释了那些可悲的预见。群体的思想可以因知识和教育部分地得到改善或变坏。因此，有必要指出现今的教育体制是如何培育群体思想的，而所有那些漠不关心的人和中立者又是如何逐渐地变成一大群不满者的，他们时刻准备听从乌托邦分子和演说家的所有暗示。如今，学校正在培养不满者和无政府主义者，拉丁民族没落的日子已为期不远。

第二章
群体观点的直接因素

1. 形象、词语和惯用语。词语和惯用语的魔力/词语的力量与它们所唤起的形象有关，但与词语的真实含义无关/这些形象因时代和种族而异/词语的衰退/一些常用词的意义发生巨大变化的例子/当人们所使用的词语给群体留下不愉快的印象时，给旧词换新名这一策略之益处/词的意义因种族而异/“民主”这个词在欧洲和美洲的不同含义。2. 幻觉。幻觉的重要性/所有文明都是以幻觉作为根基的/幻觉的社会需求/群体喜爱幻觉往往胜过事实。3. 经验。唯有经验能在群体心里建立必需的事实并使危险的幻觉破灭/经验只有不断重复才能产生功效/说服群体所必需的那些经验，其价值所在。4. 理性。理性对群体的影响并不存在/唯有触动群体无意识情感才能对群体产生影响/逻辑性在历史上的作用/难以置信的事件之内在原因

我们刚刚对预备性间接因素进行了研究，这些因素赋予群体心理一种

特殊的感受性，使得群体心理产生某些情感和某些观念成为可能。现在我们要研究的是能以一种即时的方式产生效果的那些因素。下一章，我们会看到这些因素该如何被运用才能产生最大效果。

在本书的第一部分，我们研究了集体的情感、观念和推理。根据这些知识，我们显然可以大致推论出影响群体心理的种种方法。我们已经知道能触动群体想象力的东西是什么，对暗示，尤其对以形象的形式显现的那些暗示所具有的力量和传染力有所了解。然而，暗示的来源可能各不相同，能影响群体心理的因素也可能完全不一样。因此，必须对它们分别进行考察。这不是一项无用之功。群体有点像古代神话里的斯芬克斯。必须善于解决群体的心理向我们提出的种种问题，或者心甘情愿地被他们吞噬。

1. 形象、词语和惯用语

在研究群体想象的时候，我们看到他们尤其被形象触动。这些形象，人们并非一直拥有，但可以通过合理地使用词语和惯用语来唤起。这些词语和惯用语被巧妙地运用时，便真的会拥有过去魔法师赋予它们的那种神秘力量。它们在群体心理制造巨大风暴，但也懂得平息风暴。受词语和惯用语强大力量之害而死的人不计其数，他们的尸骨足以建造一座金字塔，比老奇阿普斯[①]的金字塔要高许多。

---

① 奇阿普斯（Cheops），即胡夫（Khufu），古埃及第四王朝的法老，大金字塔的制造者。古希腊人称之为奇阿普斯。——译注

词语的强大力量与它们所唤起的形象密不可分，但与它们的真正含义完全没有关联。有时，那些意义最难以界定的词语反而更具有影响力。比如民主、社会主义、平等、自由，等等，这些词的意思很模糊，用几卷书都难以解释清楚。不过，这些简短的音节确实具有某种特别神奇的力量，仿佛包含所有问题的答案。词语是各种各样的无意识愿望和实现它们的希望之综合体。

理性和推论都不是某些词语和惯用语的对手。有人当着群体的面虔诚地发这些词的音，刚说出口，听众就变得十分恭敬并低下头。许多人都视它们为自然甚至超自然的力量。这些词语和惯用语在群体的心里唤起一些既壮观又模糊的形象，而让他们感到朦朦胧胧的模糊性本身又给词语增添了神秘力量。可以把它们比作藏在圣体柜后面的令人生畏的那些神，虔信者一靠近就害怕得发抖。

词语唤起的形象与词义无关，同样的形象却因时代和种族的差异而不尽相同。某些形象暂时性地与某些词关联：词语只不过是唤醒形象的按铃而已。

并非所有词语和所有惯用语都具有产生联想的力量。有些唤起形象之后就衰退了，不再使人想起什么。它们于是变成了空洞的声音，主要益处也就是使用者不再非思考不可了。储存一点儿青年时代学过的惯用语和陈词滥调，我们便拥有了穿越人生所需的一切，而无须辛苦地思考任何问题。

当我们研究一门特定的语言时，我们会发现，构成这门语言的词语在岁月的流逝中变化得很慢，不断变化的是词语所唤起的形象或人们赋予它的意义。这也是我在另一部书里得出的结论：将一门语言尤其是已经消亡的民族的语言进行完整翻译，这是一件完全不可能的事情。当我们用一个法语词去替换一个拉丁、希腊或梵文词时，或者甚至当我们试图读懂一本两三个世纪前用我们自己的语言写的书时，我们其实是在做什么呢？我们只是用现代生活放进我们智力的那些形象和观念去替换古代生活在种族头脑中创造的那些截然不同的观念和形象，而这些种族的生存状况与我们现在的毫无相似之处。当法国大革命的制造者认为自己是在模仿希腊和罗马人时，如果不是赋予后者所使用的古代词语某个他们从不曾有的词义，那又是在做什么呢？希腊人的制度与现在我们所说的制度之间会存在什么相似之处吗？那时的共和制仅由几个小独裁者构建，他们聚在一起，统治着一群百依百顺的奴隶，从本质上讲，如果这不是一种贵族政治，那又是什么？这些建立在奴隶制基础之上的市镇贵族政府，没有奴隶制便不可能存在。

"自由"这个词，在一个连思考的自由都不可想象，谈论神、国家的法律和习俗都是滔天大罪的时代，它的意思和我们今天所理解的会一样吗？"祖国"这个词，在雅典人或斯巴达人的脑海里，如果不是对雅典或斯巴达的崇拜（但绝对不是对由敌对的城邦组成的且总是处于战争中的希腊的崇拜），那又是什么呢？同样是"祖国"这个词，古代高卢人是怎么理解的？

当时的高卢被分割成互相敌对的部落，语言、种族和宗教都不同，恺撒不费吹灰之力就攻陷了它，因为他在高卢始终有盟军。只有罗马让高卢在政治和宗教上得以统一，给了高卢一个“祖国”。无须追溯很远，仅后退两个世纪，法国的一些君主，如与国外联盟反对自己君王的大孔代，你认为他们脑海中“祖国”这个词与我们今天所理解的一样吗？还是这个词，对于那些流亡国外的人来说，该词的词义与现代词义不会完全不同吗？这些流亡者认为同法国作战是在服从荣誉法则，而他们确实是在服从这个法则，因为封建法将附庸与领主而不是与土地联系在一起，君王在哪里，哪里就是真正的祖国。

像这样随着时代不同而词义发生深刻变化的词很多，我们只能通过长时间的努力才能像古人认为的那样理解这些词。有人说必须读很多书才能理解“国王”“皇室”这类词对我们的祖先来说意味着什么，这是有道理的。对一些更复杂的词语来说难道不也是这样吗？

因此，词语只有多变的、暂时的意义，随时代和种族的不同而发生变化。如果我们想通过它们对群体产生影响，我们必须知道的是，它们在一个特定的时期对群体而言意味着什么，而不是它们过去的意思或现在对心理结构不同的人可能具有的含义。

同样，如果群体在政治动乱和改变信仰后，最终对某些词语唤起的形象感到深恶痛绝，作为真正的政治家，其首要任务就是在不触动事物本身的前提下把这些词语换掉，因为这些事物与某个世袭的制度关系极密切，无法改变。很久以前,明智的托克维尔就提醒大家注意,执政府和第一帝国的工作主要是给大部分旧制度穿上新词的外衣,即去掉一些给群体的想象带来不愉快的形象,用别的具有新意的词代替。“人头税”变成了“土地税”,“盐赋税”变成了“盐税”,“间接税”变成了“间接分摊额”和“联合税”,行会师傅和行会管事会的税被称为营业税。

政治家最重要的职责之一,便是给那些群体无法忍受的、旧词所指称的事物换上通俗的或至少中性的名称。词语的力量是如此强大,只要用一些优雅的词语给那些最可恶的东西命名便足以让群体接受它们。泰纳恰如其分地指出,雅各宾派人就是靠引用“自由”“博爱”这些深得民心的词语“创立了一个与达荷美[①]相配的专制政府,一个类似宗教裁判所的法庭,一些同从前的墨西哥大屠杀一样的人类大屠杀”。统治者的艺术,如同律师的辩术,主要在于懂得操控词语。这门艺术最大的一个难点是,在同一个社会,同样的词语对不同社会阶层往往具有完全不同的含义。表面上看来,他们在使用同样的词语,但说的绝不是同样的语言。

在前面所举的例子中,我们尤其把时间作为词义变化的主要因素进行研究。但是,如果把种族也作为主要因素来考察,我们便会看到在同一个时期,在同等文明但由不同种族构成的群体中,同样的词对应的常常是一些截然不同的观念。不经常旅行是不可能理解这些差异的,正因为如此,

① 达荷美王国是非洲历史上的一个王国,位于今日贝宁,存在时间大致为1600年至1894年,曾是一个高度集权的国家。——译注

我不会在这个问题上固执己见。我只是提醒大家注意，恰恰是那些被各民族群体使用最频繁的词语，词义差别往往最大。比如现在最常使用的"民主"和"社会主义"这类词。

事实上，这些词所对应的观念和形象在拉丁人和盎格鲁–撒克逊人头脑里是截然相反的。在拉丁民族看来，"民主"这个词尤其指面对国家所代表的共同体的意愿和主动性，个人意志和主动性应彻底消失。国家肩负着越来越多的责任，管理一切，集中领导、垄断并制造一切。所有党派，无论是激进党、社会党还是拥护君主主义的政党，无一例外都总是向国家求助。对盎格鲁–撒克逊民族来说，特别是美洲的盎格鲁–撒克逊人，同样是"民主"这个词，意思则完全相反：个人和意愿的充分发展，国家尽可能完全隐退，除了警察、军队和外交关系外，国家不应干涉其他任何事情，包括教育。所以，同一个词，在一个民族意味着个人意愿和主动性的消失，国家至上；而在另一个民族，则意味着个人意愿和主动性的极端发展，国家的彻底消失。[①]

2. 幻觉

自从有了文明，群体就一直受着幻觉的影响。他们为制造幻觉的人树立了无数殿堂、雕像和祭坛。无论是昔日的宗教幻觉，还是今日的哲学和

① 在《民族进化的心理定律》中，我用了很长的篇幅强调拉丁民族和盎格鲁–撒克逊民族在民主理想方面存在的差异。

社会幻觉,在我们地球上陆续绽放的所有文明之源头,总是可以找到这些了不起的统治者。迦勒底和埃及的神庙,以及中世纪的宗教建筑就是以它们的名义建造的,一个世纪以前整个欧洲为之动荡,我们的艺术、政治或社会概念,无一不带有它们强大的印记。人类有时以巨大动乱为代价将它们推翻,但好像迫不得已又总是让它们恢复原样。如果没有幻觉,人类就不可能脱离原始的未开化状态。要是现在还没有它们,人类很快还会重新回到野蛮状态。这些是虚幻的影子,也许吧,但我们幻想的这些东西却使各民族创造出了辉煌的艺术和伟大的文明。

> “如果把博物馆和图书馆里具有宗教灵感的所有艺术作品都烧毁,把广场石板上受宗教启发而建造的所有艺术纪念碑都推倒,人类的伟大梦想还剩下什么?”一位作者在对我们的理论进行概述时这样写道,“把希望和幻觉那部分给人类吧,没有这些,人类无法生存,这便是神、英雄和诗人存在的理由。科学似乎曾在五十年间肩负此任。但它在渴望理想的那些人心里没有留下好的名声,因为它再也不敢大胆承诺,而且还不会撒谎。”

18世纪的哲学家们热忱地投身于摧毁宗教、政治和社会的幻觉中,而这些正是我们的祖先在漫长的世纪赖以生存的东西。幻觉破灭的同时,他们也使希望和屈从之泉干涸了。他们在那些被泯灭的幻想背后,找到了大自然盲目而冷漠的力量——它们对弱者毫不容情，不可能产生恻隐之心。

哲学取得的所有进步都未能使得它向群体提供一种令他们陶醉的理想。不过，由于不顾一切地需要幻想，他们便出于本能，飞蛾扑火般地奔向可以给他们送上幻想的演说家。民族进化的重要因素绝不是真理，而是谬误。今天，社会主义之所以如此强大，是因为它是唯一还活跃着的幻想。它不顾所有科学论证的反对，继续发展壮大。它的主要力量在于受到一些人的捍卫，这些人无视事物的真实性，敢于大胆向人们承诺幸福。如今，社会幻想盛行，凌驾于所有由过去的事堆积而成的废墟之上，未来属于它。群体从不曾渴望获得真理。在令他们不愉快的那些显而易见的事实面前，他们转过头去，如果这谬误对他们有吸引力的话，他们宁愿把谬误奉若神明。谁善于使群体产生幻想，谁就能轻而易举成为他们的主宰。谁想让他们幻想破灭，谁就永远是他们的玩偶。

3. 经验

要想在群体的脑海里牢固地确立某个真理，摧毁一些变得很危险的幻想，那么经验几乎是唯一有效的方法。此外，经验必须在一个非常大的范围内得以实现并经常重复。一代人的经验对下一代通常是没有用的，所以，作为论证要素而被提及的那些历史事件派不上用场。唯一的好处就是可以证明经验需一代代不断重复才能产生一定的影响，最终动摇已牢牢扎根在群体脑海里的某一个错误。

我们的世纪以及上个世纪，也许会被未来的历史学家当作一个有着不可思议的经验之时代而被提及。没有哪个世纪有过这么多的尝试。

这些经验中规模最大的要数法国大革命。为了揭示不能按照纯理性的指引重建一个完整的社会，几百万人遭到屠杀，整个欧洲动荡了二十年。为了通过实验向我们证明恺撒让拥护他的人付出了巨大代价，五十年间就发生了两场惨痛的实验，这些实验显而易见，但似乎还不足以说服人。第一个实验的例子使三百万人丧生并受到一次入侵，第二个实验导致国家被瓜分，不得不设立常备军。第三个实验不久前差一点发生，而且将来某天肯定会发生。为了让整个民族相信庞大的德国军队并非如1870年前有人说的那样是一种没有杀伤力的国民自卫队①，可怕的战争发生了，让我们付出了沉重的代价。为了承认贸易保护主义会让所有接受这一措施的民族彻底毁灭，至少需要二十年的灾难性经验。这样的实验会没完没了地做下去。

① 在这个例子中，群体的观点是通过对一些不同的事物的粗浅联想形成的，我在前面陈述了这种联想的机制。当时我们的国民自卫队是由一些从未受过训练、性情温和的店主组成的，不可能受到重视，所有带有类似名称的部队都会使人产生同样的联想，因此被认为是没有杀伤力的。正如群体的观点经常遇到的情况那样，群体犯的错误，他们的领头人也会犯。E.奥利维埃先生在最近出版的一本书里引用了1867年12月31日梯也尔先生在众议院的一次讲话，这位从来没有超前想法，总是跟随民意的政治家曾反复说普鲁士除了一支在人数上与我们差不多相等的常备军外，也就还有一个与我们一样的国民自卫队，所以没什么好担心的。这位政治家在谈到铁路的前景不容乐观时，也是这么断定的。

4. 理性

罗列能触动群体心灵的那些因素时，如果无须指出理性的影响力之负面效果的话，可以完全不提及理性。

我们已经指出群体不受推理的影响，只懂得粗浅的观念联想。因此，那些善于激发群体情绪的演说家都会求助于情感而非理性。逻辑法则对群体不起任何作用。[①]要想说服群体，首先必须十分了解他们会受到哪些情感的激励，假装与他们共情，然后试着以最简单的联想制造一些富有暗示力的形象，让他们的情感发生一些变化。必须懂得必要时往回走，尤其要不断猜测所产生的新感情。必须根据演讲时产生的效果不断变化自己的语言，这会胜过事先准备和熟记在心的演讲，在后一种情况下，演说家只是顺着自己的思路而非听众的想法，仅这一事实，他的影响力就彻底为零。

逻辑性强的人习惯于只被一些连接得非常缜密的论据说服，因而他们

---

① 关于对群体施加影响所需的技巧以及逻辑规律在这方面的无能为力，我最早的发现要追溯到巴黎围困时期，有一天，我看见V元帅被带到当时政府所在地——卢浮宫……愤怒的人群声称看到元帅揭下防御工事图样，把它卖给了普鲁士人。一位名叫G.P的政府官员站了出来，此人还是著名演说家，他对那些要求立即处决元帅的人发表讲话。我以为演说家会以十分肯定的语气指出指控的荒谬性，说元帅本人就是这些防御工事的建筑师之一，况且图样在所有书店都能买到。然而，让我目瞪口呆的是（那时我还太年轻），演讲完全不是这么回事…… “正义会得到伸张，” 演说家向被押的元帅走过去，大声说，“法律是无情的。让国防政府来完成对您的调查。这期间，我们会把被告关押起来。” 人群似乎对这个回答感到满意，立即平息下来，散开了，一刻钟后，元帅回到了家中。如果演说家对愤怒的人群依然使用逻辑推理的方法跟他们讲大道理，他肯定被剁成碎块了，而我那时还太年轻，还认为逻辑论证很有说服力。

对群体说话时也会情不自禁地使用推理这种说服方式，而他们无懈可击的说理却产生不了任何效果，这始终让他们感到惊讶。“建立在三段论——即恒等式联想——基础之上的惯用的数学推论，”一位逻辑学家写道，“是必然结果……这种必然结果连无机物都不得不赞同，如果这个无机物能遵循恒等式联想的演算。”也许吧，但群体并不比无机物更能遵循这种方法，他们甚至都听不懂。如果试图用推理的方式去说服原始人、野蛮人或儿童，你会发现这种论证方式只有微乎其微的价值。

我们甚至无须降低身份回到原始人就可发现，当理性与情感争斗时，理性显得多么的无能为力。我们只要回想一下就明白，在漫长的数世纪里，一些最不合乎逻辑的宗教迷信曾是多么的顽强。将近两千年的时间里，最有见识的天才都屈从于宗教迷信的权威之下，直到近代它的真实性才受到质疑。中世纪和文艺复兴时期有许多有识之士，但没有一个是通过理性思考发现自己迷信中幼稚的方面，并对魔鬼的恶行或烧死女巫的必要性产生丝毫怀疑的。

引导群体的绝不会是理性，我们难道应该对此感到遗憾吗？我们不敢这么说。人类的理性也许从不曾带着热情和被幻想激发的勇气将人类引上文明之路。这些幻想是引领人类的无意识之产物，因而可能是不可或缺的。每个种族的精神结构都有其命数的定律，种族出于某种不可抗拒的本能所服从的也许就是这些定律，甚至那些看上去极不理性的冲动亦如此。有时，各民族似乎受到一些神秘的力量的控制，这种力量能让橡子长成橡树或者引导彗星沿着它的轨道飞行。

这些力量，我们只能感知到其中很少一部分，尽管如此，我们也应该在一个民族发展的总进程中探究其原因，而不是只看孤立的事件——民族的发展有时似乎是因这些事件而发生的。如果我们只考察孤立的事件，历史仿佛受不可思议的偶然事件的支配。很难想象，加利利[①]一个无学识的木匠竟然作为一个无所不能的神统治了两千年，那些最伟大的文明都是以他的名义创建的。同样不可思议的是，几群从沙漠出来的阿拉伯人居然征服了希腊罗马旧世界的大部分地区，并创建了一个比亚历山大的马其顿王国还伟大的帝国。更不可思议的是，在一个非常古老、等级森严的欧洲，一位默默无闻的炮兵中尉曾统治着许多民族和国王。

所以，让我们把理性留给哲学家吧，但我们不要过多地要求它干预人类的统治。一些情感如荣耀、忘我、宗教信仰、对荣誉和祖国的爱，直到现在它们都是推动所有文明进步的动力，它们不是用理性创造的，而往往是在不顾理性的阻挡中诞生的。

① 巴勒斯坦北部一多山地区。——译注

第三章

群体领头人以及他们的说服方式

1. 群体领头人。群体中的每个人都有服从某个领头人的本能需求/领头人心理学/唯有他们能创造信仰,把群体纳入一个组织/领头人都很专制,这是必然的/领头人的分类/意志的作用。2. 领头人的行动方式。断定、重复、传染/这些不同要素的各自作用/传染何以从社会底层上升到高层/一种民声很快就会变成一种舆论。3. 威望。威望的定义和分类/获得的威望和个人威望/各种例子/威望是如何消失的。

我们现在对群体的精神结构有所了解,我们还知道可以影响群体心理的动因是什么。接下来我们要研究应该如何实施这些动因,它们由谁使用才能物尽其用。

1. 群体领头人

一旦一定数量的有生命之物聚集在一起,无论是一群动物还是一群

人，都会出于本能使自己处于某个首领的权威之下。

人类群体中，真正的首领通常只是一个领头人，即便如此，他也起着至关重要的作用。他的意志是核心，观点就是围绕着这个核心形成并让群体达成共识的。他是异质群体中最重要的构成要素，是未来各宗派的组织者。其间，所有人由他统领。群体是一群缺乏独立精神的人，绝不能没有主子。

领头人起先往往是一个被领导的人。他自己也曾对某个观念入迷，尔后成为此观念的宣传捍卫者。他被这个观念完全征服了，除此之外，一切都不复存在，任何与他相反的观点在他看来都纯属谬误和迷信。比如罗伯斯庇尔，他被卢梭的哲学观念迷倒，为了宣传这些观念，他竟然使用宗教裁判所的种种方法。

领头人并不总是一些思想家，他们还是行动者。他们不怎么有洞察力，也不可能有，因为洞察力往往导致怀疑和无法行动。他们尤其属于那些患有神经质的人、狂热分子、近乎疯癫的半精神错乱者。无论他们捍卫的观念或追求的目标有多荒谬，面对他们的信仰，任何理性都显得无能为力。藐视和迫害触动不了他们，或者只会令他们更加愤怒。个人利益、家庭，一切都可以无私献出。在他们身上，自我保护的本能消失了，以致他们希望得到的唯一回报往往就是成为殉道者。信仰之强大使得他们的语言也富有一种强大的暗示力量。民众总是乐于听从具有坚强意志的人，这种人懂得如何使民众敬畏自己。人一旦集群就丧失了所有意志，本能地转向那个拥有某种意志的人。

每个民族向来都不缺领头人。但是,并非所有领头人都能为强大信仰所激励,从而成为坚定的捍卫者。他们往往是些狡猾的演说家,只追求个人利益并企图以迎合某些低级本能来取悦他人。他们以这种方式产生的影响或许很大,但终究是昙花一现。那些曾使群体大脑发热而自信正确的伟人,比如遁世彼得、路德、萨伏那洛拉、法国大革命的参与者,他们都是自己先受到某种信仰的吸引,然后再对群体施加吸引力。这样,他们才能在大众的心里制造这种被称为信仰的强大力量,它使人沉迷于自己的梦想而无法自拔。

创造信仰无论是宗教信仰、政治信仰或社会信仰,还是对一部作品、一个人物、一种观念的信仰就是那些伟大的领头人的职责,因而他们的影响永远是不可估量的。在人类拥有的所有力量中,信仰的力量始终是最强大的,福音书说它具有移山之力,这是有道理的。给人类一种信仰,相当于给他增加九倍的力量。历史上的重大事件都是那些除了信仰几乎一无所有的无名信徒所发起的。无论是统治世界的伟大宗教,还是从一个半球延伸到另一个半球的辽阔帝国,都不是文人和哲学家,尤其不是怀疑论者创造的。

不过,这些例子涉及的都是伟大的领头人,但这种人寥寥无几,很难在历史上留下痕迹。从会煽动人心的领头人到工人,这是个延续不断的阶梯,他们占据着最高层。至于工人,为了使同伴渐渐被自己吸引,他在大家吞云吐雾的酒馆里不停地重复那几句连他自己都不明白的话,但他认为如此反复唠叨，最终所有梦想和希望都会实现。

在所有社交领域，从最上层到最下层，人一旦不再孤立，便立即落入某个领头人的统治之下。大多数人，特别是在人民群众中，除了自己的专业，他们对任何事都没有明确而合乎逻辑的观点。他们不知道如何行事。领头人是他们的向导，必要时，他可以被期刊取代，但那些为读者制造观点并向读者提供现成句子（这可以免得他们思考）的期刊远不能满足他们的需求。

领头人的权威非常专制，并只因为这种专制才使人敬服。人们常常发现，他们轻易就能让人信服，尽管他们没有任何方法支撑其权威，尤其是在最骚动的工人阶层。他们规定工作时间、工资税率，决定是否罢工以及什么时间开始和结束罢工。

如今，当局因受到的质疑越来越多，力量也逐渐变得衰弱，因而趋向于逐渐被领头人取代。这些新统治者的专横暴虐使得群体服从他们，比以往服从任何政府都要温顺得多。假如因某个意外事件，领头人失踪了并且没有人立即可以取代他，群体便又重新成为一个既无凝聚力又无抵抗力的集体。在巴黎爆发的一次公共汽车职员罢工期间，当指挥罢工的两个领头人被抓了，罢工立即就停止了。在群体心理始终占据主导地位的并非自由的需求，而是奴役的需求。群体如此渴望服从，以至于谁自称是他们的主人，他们就本能地屈服于他的统治。

我们可以把领头人的类别做一个相当明确的划分。第一类属于能力强的人，意志坚强，但没有持久性。第二类比第一类的人少很多，都是些意志坚强且持久的人。第一类粗暴、勇敢、大胆，他们尤其适合指挥突击战，带领大众往前冲，把入伍一天的新战士变成英雄。比如第一帝国时期的内伊和缪拉，还有现在的加里波第，此人是个冒险家，没有才华但充满活力，带领一小撮人就夺取了由一支纪律严明的部队守卫的古老的那不勒斯王国。

这些领头人干劲十足，但有的只是一时的热情，离开了推动他们的力量便几乎无法生存。这些果断勇敢的英雄一旦回到日常普通生活中，往往表现出惊人的脆弱，就像我刚刚列举的那几个人。他们似乎不会思考，在一般情形下都不知如何行事，而他们曾经是出色的能煽动人心的人。这些领头人，只有当他们自己也任人支配并不断受到激励，始终被某个人或某个观念引导，可以遵循一条明确的行为准则时，才能行使他们的职责。

第二类领头人即意志持久的人，尽管他们精力没那么充沛，但影响力要大得多。这类人包括真正的宗教创始人或创造了传奇业绩的人，比如圣保罗、穆罕默德、克里斯托弗·哥伦布和德·雷赛布。他们聪明还是智力有限，这并不重要，世界将永远属于他们。他们所拥有的持久的意志是一种极其罕见、极其强大的能力，足以征服一切。对于强大而持久的意志所具有的能量，人们总是认识不足。什么也阻挡不了它，无论是大自然、神祇还是人类。

强大而持久的意志具有无限能量，这方面最新的例子就是那个把两个

世界分开的人[①]，他实现了三千年来最伟大的君王都尝试过但都徒劳无功的壮举。后来他在一次类似的事业中失败。而当他步入老年后，一切都消失了，甚至他的意志。

如果我们想证明意志所具有的重要作用，只需详细讲述挖掘苏伊士河时克服种种困难的经历。目击证人卡扎里博士用几行扣人心弦的文字概述了那位不朽的创造者所叙述的这项伟大工程：

> 他每天都以片段的形式讲述运河的不凡经历：他必须克服的所有困难、完成的一切不可能完成的事、所有的反抗、反对他的联盟，以及失望、挫折、失败。但这些从未让他泄气，也未能压垮他。他回想起英国反对他，不断攻击他，埃及和法国则犹豫不决。工程伊始，法国领事比其他所有人都更加反对他，人们抵制他，以口渴压制工人，不给他们淡水喝。海事部及其工程师，所有举止庄重的人、经验丰富的人和科学家，所有人都自发地对他怀有敌意，所有人都从科学的角度断定这是一场灾难，并对灾难进行预测和断言，就像人们预测日食或月食哪天几时出现那样。

讲述所有这些伟大领头人生平的书提到的名字并不多，但这些人曾经是人类历史和文明史上最重要事件的发起人。

---

① 即开凿了苏伊士运河的雷赛布。——编注

2. 领头人的行动方式：断定、重复、传染

如果要在短时间内蛊惑一群人，让他们决定去做一件事，比如洗劫某个宫殿，豁出性命保卫某个要塞或堡垒，就必须通过迅速暗示对他们施加影响，而最有功效的还是榜样的力量。但这时群体必须已经因某些情况做好了思想准备，而且尤其是想蛊惑他们的那个人，也得具有非凡的才能，即我接下来要探讨的所谓的“威望”。

不过，如果想把某些观念和信仰灌输到群体的脑中，比如现代社会理论，领头人的方法就不一样了。他们主要采取三种确实可靠的方法：断定、重复、传染。这些方法起作用很慢，而效果一旦产生便可持续很久。

摆脱一切推理和引证的绝对断定是让某种观念深入群体脑海里最可靠的方法之一。断定越简洁，越缺乏表面上的证据和论证，就越有权威。历代的宗教书籍和法典采用的都是简单断定的方法。奉命捍卫某项政治事业的政治家，以及用广告的形式宣传其产品的实业家，他们都谙熟断定的价值。

然而，断定只有在不断重复且措辞尽量不变的条件下才具有真正的影响力。我记得拿破仑曾说过：修辞学中最重要的修辞格，就是重复。断定的东西通过重复就会深深扎根在人们的头脑里，人们最终会把它当作一个经过证实的真理来接受。

当我们看到重复对头脑非常清楚的人也有那么大的效力，它对群体所产生的影响能有多大，我们可想而知。这种强大的效力源于重复的东西最

终嵌进无意识的深层空间，那里是我们行动的动因产生的地方。一段时间后，我们再也不知道重复、断定的创始人是谁，但最后都信了它。由此可见广告的惊人力量。如果我们一百次、一千次看到广告上写着最好的巧克力是某某牌子的巧克力，我们就会以为许多地方都这么说，因而对此深信不疑。如果我们一千次读到什么药粉治愈了那些显要人物的顽疾，某天我们得了同样的病时，肯定都想试试。如果我们在同一种报纸上经常读到A是个无恶不作的坏蛋，B是个诚实善良的人，我们最终也会这么认为，当然，除非我们经常读带有对立倾向的另一种报纸，那里的观点恰恰相反。唯有断定和重复强大到可以互相对峙。

当断定得到足够数量的重复，得到大家的一致认可，就像某些著名金融企业经常遇到的那样，拥有巨资就可以收购所有竞争对手，这时，就形成了所谓的舆论倾向，强大的传染机制开始起作用了。群体中，观念、情感、情绪、信仰具有与细菌同等强大的传染力。这种现象很正常，因为动物一旦结群也会出现同样的情况。马厩里一匹马有什么恶癖，同一马厩里的其他马立即就会模仿。几个绵羊的恐惧和慌乱动作很快就会蔓延整个羊群。对结群的人来说，所有情绪都会迅速传染开来，这就是为什么恐惧会突然袭来。大脑紊乱，比如疯癫，本身就具有传染性。我们知道精神科医生精神错乱是一种极其常见的现象。最近有人甚至列举了几种人传动物的疯癫形式，比如广场恐怖症。

传染不需要大家在同一地点同时出现。在某些事件的影响下——

这些事件把所有人引向同一方向并赋予他们群体特有的性格特点，尤其是当这些人受到我前面所研究的间接因素的影响而做好了思想准备的时候——传染可以远距离进行。比如1848年革命的爆发，从巴黎迅速蔓延到欧洲大部分地区，并且动摇了许多君主政体。

人们把社会现象中的许多影响都归因于仿效，而仿效其实只是传染的一个简单效果。我在别处已经指出了它的影响，这里仅仅引用二十多年前我所说的话，此后一些作家在新近的出版物中对此进行了详述：

> 同动物一样，人生来就会仿效。仿效于人是一种需求，当然这种仿效必须极其简单。正是这种需求使得所谓的时尚具有强大的影响力。无论是观点、观念、文学活动，抑或是服装，多少人敢摆脱它的影响？引领群体不是靠手段，而是靠榜样。每个时代都有一小部分个性强的人，他们的行动引起人们的强烈感受，被无意识的群体仿效。但这些个性强的人不应背离固有的观念太远。否则人们就难以仿效他们，他们的影响也就不存在了。一般来说，正是这个原因导致了凡是大大超越其时代的人对他那个时代都没有任何影响力：差距太大了。同样的道理，文明占有绝对优势的欧洲人对东方民族的影响微乎甚微，因为他们之间的差异太大了。

过往和仿效的双重作用最终使得同一国家、同一时代的所有人都彼此相似，甚至包括那些似乎应该与众不同的人，如哲学家、博学者和文学家，他们的思想和文笔如出一辙，立刻就能让人辨别他们属于哪个时代。同一个人谈话无需太久就能彻底了解他读什么书，日常有什么活动，生活在什么样的环境中。[①]

传染是如此强大，以至于它不仅把某些观点强加于个人，还包括感觉方式。它使得某些作品在某个时代受到鄙视，如《唐豪塞》[②]，而几年后又被那些诋毁它们的人推崇。

群体的观点和信仰主要是通过传染机制而非推理的方式得到传播。工人当前的观念就在小酒馆里通过肯定、重复和传染得以形成的。所有时代的群体信仰都是以这样的方式创造出来的。勒南[③]恰如其分地把基督教最早的创始人比作“去一个个小酒馆传播思想的社会主义工人”。伏尔泰早就指出基督教是被“最卑鄙的小人独自拥有了一百多年”的东西。

人们会发现，在与我刚提及的那些例子相似的例子当中，传染先是在社会最下层发生的，而后过渡到上层。这就是当今我们看到的社会主义理论的发展趋势，最先传染的那些人却成了早期的牺牲品。传染机制如此强大，在它的效力面前，个人利益消失得无影无踪。

---

① 古斯塔夫·勒庞：《人与社会》，卷二，第116页，1881年版。

② 瓦格纳的歌剧《唐豪塞》，作于1845年。——译注

③ 勒南（Ernest Renan，1823—1892），法国思想家、哲学家。著有《宗教的历史和研究》等。——译注

这就是为什么任何大众化的观点，最后总会以巨大的力量强加于社会最上层，无论这些观点的荒谬性多么显而易见。这里有一个社会底层对上层的反作用，显得很奇怪，尤其是当群体的信仰或多或少总是来自某个上层观念时，而这一上层观念在它诞生的阶层常常处于无任何影响力的状态。领头人着迷于这个上层观念，占有它、曲解它并创造了一个宗派，这个宗派再曲解它，然后在群体内部传播，群体则继续变本加厉地曲解它。

成为大众喜爱的真理后，它又以某种方式追溯其源头，于是对一个民族的上层产生影响。归根结底是智者引领世界，但他确实是在很远处引领世界的。那些创造观念的哲学家，就在他们的思想通过我刚描述的机制效应最终获胜的时候，早就已经回归尘土了。

3. 威望

通过断定、重复和传染的方式得以传播的思想之所以具有如此强大的力量，是因为这些思想最终会获得被称为“威望”的神秘本领。

曾在世界上占统治地位的所有一切，无论是观念还是人，都主要以这种被称为“威望”的不可抵御的力量使人敬服。这个词的意思我们都理解，但使用方式不尽相同，很难界定。威望可能包含某些情感，如赞赏或恐惧，有时甚至还以这些情感为基础，但也可以没有它们而完美存在。拥有最大威望的都是些死人，因此都是些我们不必害怕的人，比如亚历山大、恺撒、穆罕默德、佛陀。另一方面，有些人或虚构的东西并不被我们赞赏，比

如印度地下寺庙里的可怕神祇，但我们觉得它们极具威望。

威望其实是一个人、一部作品或者一种观念对我们的精神施加的一种统治。这种统治让我们失去所有批判能力，使我们的心灵充满惊奇和崇拜。被激发的这种情感，如同所有情感，是难以解释的，但应该和受到某个令人着迷的东西的诱惑属于同类性质。威望是一切统治最强的推动力。没有它，神灵、国王和女人都无法行驶统治权。

我们可以把形形色色的威望归为两种形式：获得的威望和个人威望。获得的威望是财富和名声所给予的。它可以与个人威望无关。个人威望则相反，是属于个人的东西，可以与名声、荣耀、财富共存，或者因这些而更有力量，但没有这些也可以完美存在。

获得的或人为的威望最为普遍。一个人，如果占据一定的位置，拥有一定的财富，披上一些头衔，仅凭这些事实，他就是个有威望的人，即便此人可能毫无才能。穿制服的军人和穿红袍的法官总是有威望的。帕斯卡尔说法官必须穿红袍，戴假发，这话说得太对了。没有这些，他们便失去四分之三的威望。哪怕最残暴的社会主义分子看见一个王侯或一个侯爵也会有所触动，我们也只需戴上这些头衔便可骗取一个商人，得到我们想要的所有东西。[①]

① 头衔、勋带、制服对群体的影响在所有国家都可见到，甚至包括个人独立感最强的那些国家。说到这方面，我给大家引用一位游客最近出版的一本书里面一段有趣的话，他在谈到英国某些人物的威望时说：“在不同的场合，我发现即使是最理智的英国人，接触（转下页）

我刚刚谈到的威望指的是人所产生的威望。至于观点、文学作品或艺术作品等所拥有的威望,我们可以暂且不谈。它们通常是不断重复的结果。历史,尤其是文学史和艺术史,只是重复同样的见解,没有人试图检验这些见解是对还是错,人人最终都是重复自己在学校里学到的东西,有些名称和事物,谁也不敢触碰。对一位现代读者来说,荷马的作品无聊至极,这是无可置疑的,但谁敢这么说?帕台农神庙,现在就是一个毫无趣味的废墟。但它的威望太大了,人们所看到的只是对它的那些历史回忆。威望的本质是不让人们看到事物的本来面目,麻痹我们所有的判断。群体,尤其是个人,在所有问题上,总是需要现成的观点。这些观点很受欢迎,与它们是对是错没有关系,仅仅取决于它们是否有威望。

现在我来谈谈个人威望。它与我刚才谈论的人为的或获得的威望具有完全不同的性质。这是一种独立于任何头衔和任何权威之外的能力,只为少数人所拥有,并让他们对周围的人产生神奇的诱惑力,而他们在社会阶层关系上与这些人是平等的,不具备任何通常意义上的统治方式。他们让身边的人接受其观念和情感,这些人服从他们就像野兽服从驯兽师那

(接上页)或看到某个英国贵族时,都会兴奋不已。只要他还在贵族阶层,他们甚至在见到他之前就喜欢他了,像着了魔似的容忍他的一切。当他走近时,他们会高兴得满脸通红,当他跟他们说话时,他们的脸就更红了,眼里闪着异常的光芒。他们生来就是贵族,如果可以这么说的话,就像西班牙人天生就会跳舞,德国人生来就懂音乐,法国人骨子里喜欢革命。他们对骑马和莎士比亚的热情都没有这么强烈,从中得到的满足感和骄傲也都没那么重要。讲述贵族的书销量相当不错,无论走到哪里,都能看到人人手里拿着一本,就像拿着《圣经》那样。”

样，而这野兽其实可以轻而易举地把驯兽师吃掉。

那些伟大的群体领头人，如佛陀、耶稣、穆罕默德、圣女贞德、拿破仑，都具有强大的个人威望，他们正是以其个人威望树立威望的。神灵、英雄和教理使人敬服，不容讨论，人们一旦讨论，他们甚至就消失了。

我刚刚列举的那些伟大人物未成名之前就极具慑服力了，而没有这种慑服力他们也不会成名。比如，拿破仑在其荣耀的顶峰，显然以他的势力获得了巨大的威望。但这种威望，他在还没有任何权力、默默无闻时就已经拥有了一部分了。当时，作为一名不为人所知的将军，在别人的支持下，他被派去指挥意大利军队，他出现在一群粗鲁的将军中间，他们正准备冷淡地接待总督派来的这个年轻的不速之客。而从一开始的第一次见面，既没有话语和动作，也没有威胁，第一眼见到这个未来的伟人，他们就臣服了。泰纳根据同时代人的回忆，对这次会见做了有趣的记录。

> 师部的将军们十分不情愿地来到司令部见从巴黎派来的小个子新贵，其中就有奥热罗，一位勇敢而粗野的军人，为自己高大身材和勇猛而感到自豪。听了对拿破仑的描述后，奥热罗有些无礼，事先就表示不服从：巴拉斯的一个宠儿，葡月的一名将军，一个街头将军，被视为一头熊，因为他总是独自思考，不露声色，享有数学家和幻想家的名声。将军们被引荐给波拿巴，但他迟迟没有露面。最终，他出现了，佩着剑，戴着帽子，说了自己的安排，向他们下达命令并让他们离去。奥

热罗惊得说不出话来，出了屋子才恢复镇定，又像平日那样说起了粗话。他和马塞纳一样，承认这个小个子将军让他感到害怕，他搞不懂为什么第一眼见到拿破仑就被他的威望压倒。

成为伟人后，拿破仑的威望也随着他的所有荣耀的增加而增强，与信徒眼中某个神灵应有的威望不相上下。旺达姆将军是大革命时期的一个职业军人，比奥热罗还要粗暴、强劲，1815年的一天，他和奥纳诺元帅一起走在杜伊勒里宫的台阶上时，他对元帅说：

亲爱的朋友，这个怪人对我施加了一种魔力，我自己都没有意识到。我这个不怕神不怕鬼的人，竟然被他搞得神魂颠倒，我在接近他的时候，差不多像个孩子一样吓得直哆嗦，他让我用线穿过一根针的针眼，想用这种方法置我于死地。

拿破仑对所有接近他的人都具有同样的魔力。[①]

① 拿破仑清楚地意识到自己的威望，他知道如果对待身边的大人物比对马夫还差一点，那他的威望还会增加，而那些大人物中有好几个是令整个欧洲都颤抖的著名国民议会议员。那时的记载里尽是这方面的有意思的故事。一天，正在开国务委员会会议时，拿破仑粗鲁地责骂伯格诺，就像对待一个没有教养的侍从。效果产生了，他走过去对伯格诺说："喂，大笨蛋，你头脑清醒了吗？"听见这话，伯格诺这个如军乐队队长般高大魁梧的人深深地弯下腰，那个小个子举起手，揪住大个子的耳朵。"令人陶醉的厚爱举动，"伯格诺写到，"仁慈的主子的习惯动作。"类似这样的例子让我们清楚地认识到，威望可以使人卑躬屈膝到何种程度。从中我们看到这位大独裁者对身边的人有多蔑视，只是把他们当作炮灰而已。

达武在谈到马雷[①]和他自己的忠诚时说："如果皇帝对我们两个说：摧毁巴黎，任何人都不许出城和逃跑，这对我的政治利益很重要。马雷会保守秘密，我敢肯定，但他还是会忍不住把家人弄出去从而使皇帝的名誉受到影响。至于我，我怕他猜到我会这么做，就把妻子和孩子们留在巴黎。"

我们必须想到这令人惊叹的魔力才能理解他是如何奇迹般地从厄尔巴岛回来的。在以为人们可能都厌倦了他的专制统治的情况下，他孤身一人迅速征服了法国，而且面对的是一个强国，一支庞大且秩序井然的军队。他只是看了一眼那些派来抓他，并且也曾发誓要抓到他的将军。所有人一言不发全都乖乖归顺于他了。英国将军沃斯里写道：

> 拿破仑像个逃犯一样离开他的王国：厄尔巴小岛。几乎只身一人在法国登陆，并在几周内就推翻了法国在合法国王统治下的所有政权机构，没有发生任何流血事件。一个人竟有如此强大的个人威望，还有比这更令人惊讶的吗？而在这场战役（这也是他最后一场战役）的过程中，他还对同盟国产生了巨大影响，迫使它们听他的指挥，他差点就把它们全部打败。

他的威望在他死后依然存在，并与日俱增。他的一个侄子原本默默无

① 达武（Davoust），拿破仑的名将之一。马雷（Maret），拿破仑的名将之一，先后担任过拿破仑的国务秘书和外交大臣等要职。——译注

闻，也因为拿破仑的影响力而当上了皇帝。今天，当我们看到他的神话再现，便可知这个伟大的亡灵依然有着强大的威望。只要喜欢，他就可以虐待人，屠杀数百万人，侵略一个个国家。如果你拥有足够强大的威望和保持这威望所需的才能，你就可以胡作非为。

我在此援引的一个有关威望的例子或许极其特殊，但对于我们理解所有重要的宗教、教理和伟大帝国的起源，这是有益的。如果没有威望对群体所产生的威慑力，这些起源都是无法理解的。

然而，威望并不只建立在个人的巨大影响、军事荣耀和宗教恐怖之上，它也可能有不太重要，但更强大的起源。我们的时代可以提供许多例子。最打动人的一个例子就是后人世代相传，通过将两个大陆分开从而改变了地球的面貌和各民族贸易关系的那个名人的故事。他完成了自己的事业，靠的不仅是坚强的毅力，还有对身边所有人产生的影响。为了挽回所遭遇的一致反对的局面，他只要站出来就行了。他做了几分钟演讲，反对者们像中了魔法似的都成了他的朋友。英国人尤其执拗地否认他的计划，但他只需在英国出现就赢得了一致赞同。后来，他路经南安普顿时，所有钟声为他而鸣，现在，英国正忙于为他树立一尊雕像。战胜了所有的人和事后，他不再相信还会有什么障碍，并打算在巴拿马再现苏伊士运河的计划。他采取的是同样的方法。但他毕竟上了年纪，再说，能移山的信念再也不复当年了，除非山不太高。高山岿然不动，随即而来的灾难毁灭了笼罩着这个英雄的耀眼的胜利光环。他的人生告诉我们，威望何以增强，又何以消

失。在与历史上最著名的英雄享有同等的荣耀之后，他被自己国家的法官打入最无耻的罪犯队伍。他死后，他的棺材孤独地在冷漠的人群中穿行。只是在国外，君主们缅怀他的丰功伟绩，就像缅怀历史上那些最伟大的人物那样。①

不过，刚刚列举的各种例子都是一些极端情况。要想在细节上确立威望心理学，就必须选择一系列极端的例子，从宗教或帝国的创始人到试图以一件新衣服或一个装饰物让邻居赞叹不已的个人。

在这一系列极端例子的中间，我们把文明的各种要素，如科学、艺术和文学等所有形式之威望放进去考察，我们会发现威望是说服别人的基本要

① 国外一家报纸，即维也纳的《新自由报》，在雷赛布的命运这个问题上做了一些很有判断力的心理学思考，在此我引述如下："见过费迪南·德·雷赛布的判决后，人们再也不必为克里斯托弗·哥伦布的悲惨结局感到惊讶了。如果说雷赛布是个骗子，那么，任何高尚的幻想都是罪恶。如果是在古代，人们会给雷赛布死后的名声戴上荣耀的光环，会让他饮奥林匹斯山的仙露，因为他改变了地球的面貌，他所立下的功绩使天地万物变得更加完美。上诉法院院长因判决费迪南·德·雷赛布而成了不朽人物，因为各民族总是在问是谁胆敢贬低其时代而把囚犯的帽子扣在了一位老人头上，而这位老人的人生曾为其同时代人所颂扬。在官僚们仇视崇高的大胆创举的地方，以后再也不要跟我们谈论什么不可动摇的正义了。各民族都需要这些有冒险精神的人，他们自信，克服一切障碍，全然不考虑自己。天才不可能是谨小慎微的。如果总是小心翼翼，人类活动的范围永远都无法扩大。……费迪南·德·雷赛布有过胜利的陶醉，也有过失望的痛苦：苏伊士运河和巴拿马运河。此刻，他的心灵对成功引出的道德感到愤慨。当雷赛布成功地将两个海洋相连，各君主和各民族向他表示敬意。今天，他败在科迪雷拉斯岩石前，他就成了一个无耻的骗子……这是一场社会各阶级的战斗，是官僚和行政人员对那些总想干一番大事的人的不满，于是利用刑法对他们进行报复……面对人类天才的伟大思想，现代立法者感到不知如何是好。公众对此更是难以理解，而一个代理检察长则轻易就证明斯坦利是个杀人犯，雷赛布是个骗子。"

素。无论是有意识还是无意识，凡是具有威望的人、观念或事物都是通过传染立即被仿效的，并影响整个一代人的感受和表达思想的方式。此外，仿效通常是无意识的，正因为如此它才变得那么完美。现代画家临摹某些早期艺术家画中褪去的颜色和僵硬的动作，但很少知道它们的灵感来自何处。他们相信自己是诚实的，而如果没有一位大师使这种艺术形式重现，人们可能还只看到其纯朴、低等的方面。那些仿效另一位大师在画布上涂满紫色阴影的人，在大自然中看到的紫色并没有五十年前人们看到得多，但他们受到某个画家个人独特印象的暗示，这位画家虽然古怪却善于获得极大的影响。在文明的所有要素中，这样的例子还有很多。

综上所述我们看到，许多因素可以被列入威望的起源，但最重要的一个因素始终是成功。所有成功的人和所有被接受的观念甚至都会因为这个事实而不再受到争议。说成功是构成威望最重要的基础之一，是因为当成功不再，威望几乎总是随它一起消失。前一天受到群众欢呼的英雄，第二天就会因为失败而被喝倒彩。威望越大，反应甚至就越强烈。英雄一旦跌倒，群体就视他为与自己地位身份相同的人，并为曾经屈服于他的优势而进行报复，因为他已不再是英雄。罗伯斯庇尔命人砍下同伙和无数同时代人的头，那时他很有威望。而当因几票之差落选而失去权力时，他即刻便失去了威望，群众去看他被送上断头台，就像前一天去看被他杀害的那些人一样，嘴里不停诅咒着。信徒们砸碎他们旧神的雕像时总是很疯狂的。

被失败剥夺的威望瞬间就消失了。威望也会因讨论而减弱，但更慢一些。而这个方法肯定奏效。受到争议的威望已经不再是威望。懂得长久保持威望的神和人绝不容许讨论。要想得到群体的仰慕，就必须始终与他们保持一定的距离。

第四章
群体的信仰和观点之可变限度

1．不变的信仰。某些普遍信仰的不变性/它们是文明的引领者/根除它们是困难的/宽容为何对所有民族来说都是一种美德/一种普遍信仰在哲学上的荒谬性不会影响它的传播。2．群体的可变观点。非来自普遍信仰的观点之极其多变/观念和信仰在不到一个世纪内发生的明显变化/这些变化的真正限度/变化针对的要素/当前普遍信仰的消失和报刊的大量发行使得当今的观点越来越多变/为什么群体在大部分问题上越来越不屑于表达自己的观点/政府没有能力像以前那样主导舆论/当前舆论的分散使得政府难以实行专制。

1. 不变的信仰

在生物的解剖学特点及其心理学特点之间存在着某种相似性。在解剖学特点中，我们发现了某些不变的要素，或者变化极小，所改变的时间要用地质年代来计算，而除了这些顽固的不变要素，还能见到一些极具变化

的特点，很容易被环境以及饲养员和园艺家的艺术加以改造，不专心的观察家甚至看不见那些基本特点。

我们注意到在心理特点中也存在着同样现象。除了种族固定的心理要素，同时还有一些活动的、变化无常的要素。这就是为什么在研究一个民族的信仰和观念的时候，我们总能发现一个非常稳固的基础，以及在这个基础上变化不定的观点，如撒落在岩石上的流动的沙粒。

因此，群体的信仰和观点形成了两个截然不同的级别。一个是延续了好几个世纪的永久性的伟大信仰，整个文明都是以它为基础而建立的，如以前的封建观念、基督教思想、宗教改革思想，当今的民族自治原则、民主主义和社会主义观念。另一个是暂时的、易变的观点，常常源自普遍观念，每个时代都能见证其生和死，它们就是在某些时候给艺术和文学指明方向的理论，如催生出浪漫主义、自然主义、神秘主义等的那些理论。它们常常如时尚那般肤浅，和它一样变化多端。这是些不断在一个深水湖的湖面上出现又消失的小波浪。

伟大的普遍信仰数量极其有限。它们的诞生和消亡对于每个历史悠久的种族来说都是其历史的转折点。它们是所有文明得以建立的真正构架。

要在群体的心里植入一个暂时的观点，这很容易。但要在那里建立一个持久的信仰却很难。而信仰一旦在群体的心里生根，消除它也是件很难的事。人们往往只有以暴力革命为代价才能改变信仰。只有当信仰几乎完全失去对心灵的统治时，革命才有此威力。所以，革命的作用是最终扫除那些差不多已经被丢弃的东西，而习俗的枷锁还在阻止人们完全丢弃它们。革命开始之日便是信仰终结之时。

一个伟大信仰即将消亡的确切时间很容易被觉察到：其价值开始受到质疑的那天。所有普遍信仰都只是一种想象，因而一旦受到质疑便不可能继续存在。

而即使一种信仰受到强烈震撼，从中衍生出来的制度依然能维持其统治，并只会慢慢消亡。当信仰最终彻底失去力量，它所支撑的一切便会在瞬间倒塌。任何一个民族，如果还没有到必须立即改造其文明所有要素的地步，是不可能改变其信仰的。

这个民族对其文明的所有要素进行改造，直到找到一种可以接受的新的普遍信仰。而这之前它必定处于无政府状态。普遍信仰是所有文明必不可少的支柱，为思想指明方向。唯有它们能唤起信念、创造使命。

各民族通常都能认识到拥有普遍信仰的好处，天生就懂得普遍信仰的消失对他们而言意味着衰落时刻的到来。罗马人对罗马有着狂热的爱，他们认为正是这种信仰使得他们成为世界的统治者，而当这种信仰不复存在，罗马必然灭亡。摧毁罗马文明的野蛮人也只是在有了某种共同信仰时，才获得了一定的凝聚力，得以摆脱无政府状态。

所以，各民族一直以来都狂热捍卫自己的信念。这种狂热，尽管从哲学的角度讲有待讨论，但在各民族的生活中是最不可或缺的一种美德。正是为了创立或维护普遍信仰，中世纪才垒砌了那么多的焚尸柴堆，无数发明者和革新者禁止酷刑，却都在绝望中死去。正是为了捍卫普遍信仰，世界才如此动荡，千百万人死于战场，这种情况将来还会继续。

建立一种普遍信仰是一件艰难的事情，而这一信仰一旦被确立，就会长久具有不可战胜的威力。尽管从哲学上讲它是错误的，但有识之士都为之折服。一千五百多年以来，欧洲各民族不是把一些野蛮的宗教传说[①]视为不可争辩的真理吗？如果我们仔细研究，这些宗教传说跟摩洛克[②]的传说一样野蛮。某个神因一个造物反抗它而以酷刑对自己的儿子进行报复，这个传说荒谬绝顶，可是许多世纪以来有人意识到了吗？最伟大的天才，伽利略、牛顿、莱布尼兹甚至都没有想过可以对这些信条的真实性提出异议。没有比这更能证明普遍信仰能产生催眠作用，但也没有什么比这更能说明我们思想如此狭隘，令人感到耻辱。

一旦某个新信条在群体的思想中扎根，它就成了制度、艺术和行为的灵感来源。这时，它对心灵的统治是专横的。活动家只想着实现它，立法者只是实施它，哲学家、艺术家和文学家一心一意想着以各种形式表现它。

从基本信仰中可以产生一些次要的暂时性观念，但这些观念始终带着此信仰的痕迹。埃及文明、中世纪的欧洲文明、阿拉伯人的穆斯林文明，它们都源自一小部分宗教信仰，后者在这些文明的最小要素上都打下了印

① 我指的是哲学意义上的野蛮。实际上，那些宗教传说创造了一种全新的文明，在一千五百年间让人类窥见了他们不再熟悉的那些充满梦想和希望的迷人天堂。

② 摩洛克（Moloch），是闪族文化中与火焰密切相关的神祇，此神与火祭儿童有关。——译注

记,让人立刻就能辨认出来。

就这样,由于普遍信仰的存在,每个世纪的人都被一个由传统、观点和习俗织成的网包围,被戴上无法摆脱的枷锁,并且因此而彼此相似。引领人类的是信仰和由这些信仰派生出来的习俗。它们主宰着我们生存的一切行为,最独立的人也不想摆脱其影响。真正的专制是以一种不为人觉察的方式对心灵进行控制,因为只有这种专制无法被反对。提比略、成吉思汗、拿破仑或许都是可怕的独裁者,然而,摩西、佛陀、耶稣、穆罕默德、路德,他们在坟墓深处对人的灵魂施加着更强烈的专制统治。一次谋反可以推翻一个暴君,但它对一种牢固的信仰又能怎样?在同天主教的激烈斗争中,尽管得到群众明显的拥护,尽管破坏方式跟宗教裁判所采用的一样残酷,最终失败的还是我们伟大的法国大革命。人类真正的暴君,永远都是亡者的影子或人类给自己制造的幻想。

普遍信仰在哲学上经常表现出的荒谬性却从来没有成为阻碍它获胜的一个障碍。信仰似乎必须包含一些神秘的荒谬性才可能获胜。因此,现今的社会主义信仰未能对群体的心灵产生影响,并非由于它存在着明显的不足之处。与所有宗教信仰相比,其真正的弱势仅仅在于:宗教信仰所许诺的幸福理想只在来世实现,谁也无法对它提出异议。社会主义的幸福理想必须在尘世实现,一旦尝试,承诺的虚妄就显现了,新信仰立即失去所有威望。所以,当社会主义取得胜利,开始实现其理想的那天,新信仰的力量就停止壮大了。这就是为什么如果新宗教一开始就像之前所有宗教那样起到破坏作用，那它以后也会像它们一样无法发挥创造性作用。

2. 群体的可变观点

我们刚刚指出了不变信仰的力量，在这些不变信仰的上面有一层不断产生和消亡的观点、观念和思想。有些只持续一天的时间，最重要的也几乎不会超过一代人的生命。我们已经注意到，这些观点突然发生的变化有时并不真实，而是非常虚幻，并且始终带着种族优良品质的印记。比如，在研究我们所生活的国家的政治制度时，我们曾指出，那些表面上势不两立的党派，如拥护君主主义的政党、激进党、帝制主义政党、社会党，等等，它们的理想其实完全是一样的，但这理想只与我们民族的精神结构有关系，因为我们发现其他民族也有名称相同的党派，但理想截然不同。改变事物本质的既不是观点拥有的名称，也不是迷惑人的胡编乱造。法国大革命时期的有产者都深受拉丁文学的影响，眼里只有罗马共和国，他们沿袭了罗马的法律、束棒和长袍，竭力仿效其制度和典范，但并没有成为罗马人，因为他们深受一种强大的历史暗示的影响。哲学家的职责就是寻找那些表面变化的古老信仰遗留下来的东西，在涌动的观点浪潮中辨别被普遍信仰和种族灵魂确定下来的东西。

如果没有这个哲学标准，人们会认为群体经常随意变换政治或宗教信仰。全部历史，包括政治、宗教、艺术和文学史，似乎都证明了这一点。

以我们历史上一个非常短的时期为例，即从1790年到1820年的三十年，也就是一代人的时间。这时期的群体，从君主主义者变成革命者，然后是帝制主义者，然后又回到君主主义者。在宗教方面，他们在同一时期的信仰从天主教变成无神论，然后又变成自然神论，最后又回到天主教的极端形式。不只是群体，他们的领头人也如此。

我们惊讶地注视着那些伟大的国民公会议员，国王不共戴天的敌人，既不要神也不要主子，却成了拿破仑卑微的仆人，后来在路易十八执政时期又虔诚地举着蜡烛走在宗教仪式队伍里。

接下来的七十年里，群体观点又发生了什么变化？19世纪初“背信弃义的阿尔比恩”在拿破仑的继承者统治时期成了法国的盟国。遭到我们两次入侵的俄国，曾对我们最后几次军事失利鼓掌欢呼，突然又被我们视为朋友。

在文学、艺术和哲学上，观点的更新速度还要更快。浪漫主义、自然主义、神秘主义等，生而又死，循环往复。昨日受捧的艺术家和作家，明日就会遭到鄙视。

可是，当我们分析所有这些表面上看来极其深刻的变化时，我们发现了什么？所有与普遍信仰和种族情感相对立的变化都只能延续一天的时间，改道的河流很快又流回了原先的河道。与普遍信仰和种族情感毫不相干，因而不存在稳定性的那些观点，都受各种偶然事件或者环境变化的影响。通过暗示和传染形成的观点始终是暂时性的。它们诞生而后消失，有时速度之快如同海边消失在风中的沙丘。

今天，群体可变观点的总量比过去多许多，这基于三个不同的原因：

第一个原因是旧的信仰渐渐失去统治地位，不再像从前那样对暂时性观点产生影响，从而为它们指出一个方向。普遍信仰的消失换来的是一堆既没有过去也没有未来的个别观点。

第二个原因是群体力量变得越来越强大，能与之抗衡的力量越来越少，我们在他们身上发现的思想的极度多变可以无限制地展现。

第三个原因是近来报刊的普及，不断把对立的观点呈现在群体的眼前。每种观点都会引发种种暗示，但这些暗示很快就被一些相反的暗示推翻。结果是每种观点都得不到广泛传播，只能存在片刻。还没有扩散开成为舆论就死亡了。

世界历史上出现的一个非常新的现象就是由这些不同的原因导致的结果，这也是我们这个时代特有的一个现象，我想说的是政府在引导舆论方面的无力。

过去（这个过去并不遥远），政府的作为、某些作家和几份报纸的影响力就组成了观点的真正调节器。如今，作家不再有任何影响力，报纸只是反映观点。至于政治家，不但不对观点加以引导，而且只想着随大流。他们害怕观点，因为观点有时甚至会引起恐慌，动摇他们的行为准则。

所以，群体的观点趋向于渐渐成为彰显政治的最高原则。如今，它可以迫使国家之间结成同盟，就像我们最近看到的法俄同盟，完全是一场群众运动的产物。今天，我们看到教皇、国王和皇帝也接受采访机制，就某个特定的问题陈述自己的观点，让群众评判，这是一个非同寻常的征兆。过去我们可以说政治是不讲感情的。今天，政治越来越多地以多变的群体之冲动为导向，而群体不懂得理性，只受情感的操纵。这种情况下，我们还能说政治不讲感情吗？

至于报业，昔日是观点导向，现在也只好像政府那样屈服于群体的力量。它当然还具有很大的力量，但只是因为它反映群体的观点和他们思想的不断变化。成为单一的提供信息的刊物后，它不再试图表达任何观点、任何理论。它紧跟民众思想的变化，竞争的必然性迫使它这样，否则它就有可能失去读者。以前那些庄严而有影响的官方报刊，如《宪法报》《论坛》《世纪报》，上一代人虔诚地听取其权威性的意见，可如今它们全都消失了，要不就成了发布信息的纸张，插进几个有趣的专栏、社交界的闲话和金融广告。现在哪里还有内容丰富到任由其编辑发表个人观点的报纸呢？不过，对于只要求获得信息或寻开心的读者来说，这些观点并不重要，他们总是害怕每篇推荐文章后面都藏着个投机者。评论界甚至再也没有能力大力推广一本书或一部戏。它会说它们的坏话，但不会做对它们有益的事。报纸深信所有涉及批评或个人观点的东西都是无用的，于是逐渐地取消了文学批评，只是给个书名，写上两三行促销词而已，二十年后，戏剧批评可能也是这种情况。

密切注意观点如今成了报业和政府最关心的事。一个事件、一份立法草案、一个演讲，这些是他们必须随时了解的事情。但这不是件容易的事，因为没有什么比群体的想法更不稳定、更变化无常了，也没有比这更常见的现象了：前一天受到他们称赞的东西，今天就遭到他们的强烈谴责。

观点导向的彻底缺失，以及与此同时普遍信仰的解体，带来的最终后果是所有信念彻底粉碎，群体对与其直接利益明显无关的事情越来越漠不关心。像社会主义这样的理论问题，只在一字不识的人，如矿工和工人当中才找到坚定不移的捍卫者。小中产阶层和有点文化的工人都成了怀疑论者或至少非常不坚定。

三十年来发生的变化是惊人的。先前的时候，其实是没多久前，观点还拥有某种普遍倾向，这些观点源自一些被接受的基本信仰。如果你是君主主义者，仅这一事实就必然会让你拥有某些不可改变的观点，无论是在历史上还是在科学中；而如果你是共和党人，仅这一事实就会让你拥有截然相反的观点。一个君主主义者确切地了解人类不是猴子的后裔，而共和党人也同样确切地了解人是从猴子变来的。谈起法国大革命时，君主主义者惊恐万分，而共和党人则怀着崇敬之情。有些名字，如罗伯斯庇尔和马拉，人们说起时应该都带着虔诚的表情，而另一些名字如恺撒、奥古斯都和拿破仑，人们提及时必定是咬牙切齿的。甚至在我们的索邦大学，这种理解历史的幼稚方式仍十分普遍。[①]

① 我们官方任命的教授写的那些书里有些段落在这个观点上显得很奇怪，从中可以看出批判精神在我们的大学教育里的缺失程度。我引用下面几行字作为佐证，是从索邦大学一位老教授写的有关法国大革命的书里摘录的，此人曾担任过国民教育部部长。“攻占巴士底狱不仅是法国历史上，也是欧洲历史上一个巅峰事件。它开创了世界历史的新时代！”至于罗伯斯庇尔，我们很惊讶地读到：他的独裁主要体现在观点、说服方式和道德权威方面，如同一个有德行的人掌控着某种类似教皇的权威！

今天，在讨论和分析面前，所有观点都失去了诱惑。它们的棱角很快都磨平了，遗留下来的能感动我们的观点少之又少。现代人越来越冷漠了。

我们不要为这种观点之价值的普遍丧失而过于感到遗憾。即便这是民众生活衰败的一个征兆，我们也不要对此提出异议。当然，与惯于否认的人、批评家和冷漠的人相比，先知、使徒、领头人，总之这些自信正确的人都具有一种完全不同的力量。但不要忘了，随着目前群体力量的壮大，如果一种观点能获得相当大的诱惑力从而使人接受，那它很快就会拥有一种极其专横的力量，一切都将立即屈服于它的威力，自由讨论的时代也将长期结束。群体有时是性情温和的主人，就像赫利奥加巴卢斯[①]和提比略[②]在他们那个时代那样，但群体也会表现得极端任性。如果一种文明注定要落入他们手中，能否维持很久就完全靠运气了。如果有什么东西能稍微延缓文明的倒塌，那一定是群体观点的极其多变性和对所有普遍信仰日益增长的冷漠。

---

① 赫利奥加巴卢斯（Heliogabale，约203—222），罗马帝国塞维鲁王朝皇帝，218—222年在位。——译注

② 提比略（Tiberius，公元前42—公元37），罗马帝国第二位皇帝。——译注

第三卷

不同群体的分类和描述

第一章

群体的分类

群体的一般划分/群体的分类。1. 异质群体。它们何以不同/种族的影响/种族的心灵越强大,群体的心灵就越脆弱/种族的心灵代表文明状态,群体的心灵则代表野蛮状态。2. 同质群体。同质群体的划分/派别、身份集团和阶级。

在本书中,我们指出了心理群体共有的一般特点。接下来我们要描述不同级别的集体受到适当的刺激影响而成为群体后,除了一般特点还具有的那些非同一般的特点。

我们先简要概述一下群体的分类。

我们的出发点将是普通人群。当人群由不同种族的个体构成时,他们便呈现出最初级的形态。除了首领多少会受到尊重的意愿之外,他们没有别的共同点。我们可以把来源极其不同,曾在数世纪里入侵罗马帝国的蛮族作为这类人群的典型。

比这些由不同种族的个人组成的人群层次更高的，是受到某些因素的影响从而获得一些共同特点并最终形成一个种族的那些人群。他们有时会表现出群体特有的特征，但这些特征或多或少都受到种族特征的影响。

这两个级别的人群会在本书谈到的那些因素的影响下变成有组织群体或心理群体。在这些有组织群体中，我们做以下划分：

一、异质群体

1. 匿名群体（比如街头人群）

2. 非匿名群体（陪审团、议会，等等）

二、同质群体

1. 派别（政治派别、宗教派别，等等）

2. 身份集团（军人、僧侣、工人，等等）

3. 阶级（中产阶级、农民阶级，等等）

我们简要勾画一下这些不同级别的群体的区别性特征。

1. 异质群体

关于这些集体，我们在本卷中探讨过它们的特点。它们由普通人组成，与职业或智力的高低无关。

我们现在知道，一些人组成一个有行动力的群体。仅凭这一事实，他们的集体心理与他们的个人心理就存在着本质上的区别，智力并不能使他们免于这种区别。我们已经看到，在集体中，智力不起任何作用。唯有无意识情感能产生影响。

有一个基本要素能使各种异质群体彼此间大不相同，这个要素就是种族。

我们已经多次回到种族的作用这一话题，并指出种族是决定人的行动的最强大因素。它也在群体的性格特点中显示其作用。一个由普通人组成的群体，比如都是英国人或中国人，与另一个由不同种族的普通人，如俄国人、法国人、或西班牙人组成的群体，这两个群体存在着天壤之别。

世代相传的精神结构使人们的感觉和思考方式不尽相同，当不同民族的人按几乎相等的比例聚集在一起时，这些深刻的差异立即就凸显出来了，无论驱使他们聚集在一起的那些利益表面上看多么的一致。社会主义者为召集各国工人代表参加一些重要会议所做的种种尝试最后总是以激烈的争执收场。拉丁民族群体，不管有多激进或多保守，为了实现他们的愿望，他们总是恳求国家的支持。他们一直是集权制并且或多或少有些专制。英国或美国群体则相反，他们不向国家求助，只相信个人创造力。法国群体首先想要得到的是平等，而英国群体则是自由。正是这些种族差别使得有多少民族就有多少种形式的社会主义和民主主义。

因此，种族的心灵对群体心灵行使着绝对的统治。它是使群体心灵不再波动的强大基础。“种族的心灵越强大，群体的次要特点越不明显。”我们可以把这句话当做一条基本法则。群体的状态和群体的统治，就是未开化或返回未开化状态。种族只有获得强有力的心灵才能渐渐摆脱群体的无意识统治，走出未开化状态。

除了种族，对异质群体的另一个重要分类法，就是把他们分为匿名群体（如街头群体）和非匿名群体（如评议会和陪审团）。责任感在前者身上是不存在的，在后者身上却得到发展，这就使得他们的行动趋向往往很不相同。

2. 同质群体

同质群体包括：1. **派别**　2. **身份集团**　3. **阶级**

派别代表同质群体组织中的第一等级。其中的个人受教育程度、职业、社会环境有时完全不同。他们之间只有信仰关系，比如宗教和政治派别。

身份集团指的是群体可能会有的最高等级的组织。如果说派别所包含的个人在职业、教育、社会环境方面存在着很大的差异并且只因为共同信仰而彼此关联，那么身份集团包含的个人都具有相同的职业，因而其教育程度和社会环境也都大致相同。比如军人集团、僧侣集团。

阶级是由出身不同的人聚在一起形成的，既不像派别里的人因共同信仰结群，也不像身份集团里的成员因相同的职业结群，而是出于某些利益、某些极相似的生活和教育习惯结成团体。比如中产阶级、农民阶级，等等。

在本书中，我只关注异质群体，同质群体（派别、身份集团和阶级）的研究将留给下一本书。在这里，我不再谈论同质群体的特点，而只研究选作典型的几个级别的异质群体。

第二章
所谓犯罪群体

所谓犯罪群体/群体在法律上讲可能是有罪的，但在心理学上讲可能是无罪的/群体行为的完全无意识/各种例子/九月大屠杀制造者的心理/他们的推理、情感、残暴和道德观。

群体在一段兴奋期过后便陷入由暗示引导的纯粹的无意识的自动状态，无论如何似乎都很难用“有罪的”来形容。我保留“有罪的”这个错误的表达，是因为最近的心理学研究有这种说法。如果我们只审视群体的某些行为本身的话，那么这些行为肯定属于犯罪行为。但这跟老虎吞食印度人的举动一样，为了逗自己的小虎崽们开心，它先让它们把这猎物撕碎，然后再把他吃掉。

群体犯罪通常都受到某种强大的暗示，参与犯罪的人事后都坚信自己履行了一项义务，这跟普通犯罪完全不一样。

群体犯罪史可以澄清以上所述。

我们可以援引巴士底狱典狱长德·罗奈先生被杀作为典型案例。监狱被攻克后,典狱长被一群愤怒的人围住并殴打。有人提议把他吊死,或将他斩首,或把他拴在马尾上拖死。在挣脱中,典狱长不小心踢到了一位围观的人。有人提议让那个被他踢了一脚的人亲手砍下典狱长的头,这个建议立即得到众人的欢呼:

> 这人是个失业的厨师,是个游手好闲的人。他来巴士底狱看看发生了什么事。在他看来,此举既然是大家的一致意见,便是爱国行为,他甚至觉得杀死一个魔鬼应该得到一枚勋章。他拿起别人借给他的一把刀,朝典狱长光溜溜的脖子砍去。可是刀不够锋利,没有砍下他的头。他从口袋里掏出一把黑柄小刀(他是厨师,知道怎么切肉),圆满完成了任务。

这里,我们可以清楚地看到前面所提到的机制。服从某种暗示,因为暗示是集体性的,所以力量就更强大。杀人犯坚信自己完成了一件值得称赞的行为,这种确信也因为他获得同胞的一致赞同而更加理所当然。类似的行为在法律上讲可以说是犯罪,但从心理学角度看并非如此。

所谓犯罪群体,他们的一般特点恰好也是我们在所有群体身上看到的那些普遍特点:暗示感受性、盲从、多变、无论好坏都很极端的情绪、某些道德方式的展示,等等。

有些群体在我们的历史中留下了令人悲伤的记忆，我们将在其中的一个群体，即参与九月大屠杀的群体中看到所有这些特点。这个群体与发动圣巴泰勒米大屠杀的那个群体有很多相似之处。我借用泰纳先生对这一事件的详细描述，这些描述是他根据当时的回忆录得到的。

人们无法确切地知道是谁下的命令或授意屠杀所有囚犯，清空监狱。无论是丹东——这很有可能——还是其他什么人，这并不重要。对我们来说，唯一感兴趣的是行使大屠杀的群体曾受到强大暗示这个事实。

这个屠杀者群体有三百人左右，构成了一个完美的异质群体。除了极少数惯犯，这个群体主要由各行各业的店主和工匠组成：鞋匠、锁匠、理发匠、泥瓦匠、职员、代理商等。在暗示的作用下，他们就像上面提到的厨子，坚信自己在尽爱国的责任。他们担任双重职务——法官和刽子手，但一点都不觉得自己是罪犯。

他们深感自己的责任重大，于是从组建一种法庭着手。这时，群体过于简单化的头脑和同样简单化的公正性立即暴露了。考虑到被告数目太大，他们首先决定，贵族、神父、军官、国王侍从，即在一个善良的爱国者眼里仅凭职业就能证明他们有罪的所有这些人，无需专门进行裁决就可以成批杀掉。至于其他人，则根据外表和名声进行判决。群体的原始意识得到满足后，他们就可以合法地进行屠杀并放任其残暴本能，我在别处指出了这种本能产生的根源，而集体总是能使它发展到一定高度。但他们同时也会流露出别的相反的情感，如某种往往与残暴同样极端的同情心。

他们对巴黎工人表示出冲动和明显的同情心。在阿巴耶,一位巴黎公社社员得知囚犯们已经二十六个小时没有水喝,便决意杀死那个粗心的狱卒,在众囚犯的哀求下他才没有动手。当一个囚犯被释放(临时法庭宣告他无罪),看守和杀手,所有人都激动地拥抱他,他们拼命鼓掌,接着转身又去杀另外一群人。屠杀期间始终洋溢着欢乐的气氛。他们围着尸体唱歌、跳舞,还"为女士们"摆放一些长凳让她们高兴地观看他们杀死贵族。他们也继续表现出某种特殊的公正。阿巴耶的一个刽子手抱怨说,女士们坐得有点远,看不清,还说只有几名目击者能感受到杀贵族的快乐,他们相信这个意见是正确的,于是决定让受害者从两行刽子手中间慢慢走过,后者只能用刀背砍,以延长剧痛的时间。在拉福尔克县,人们脱光受害者的衣服,对他们进行半个小时的凌迟,然后,当所有人都看得很清楚之后,再将他们开膛破肚。

此外,刽子手们都十分谨慎,表现出群体内部固有的这种道德,这种道德已被我们指出。他们拒不强占受害者的钱和首饰,并把它们上交到公社委员会。

在他们的所有行为中,我们总能看到群体心灵特有的这些原始推理方式。就这样,杀了一千两百或一千五百个民族之敌后,有人提醒大家注意,其他监狱,即关押着一些老乞丐、流浪汉、年轻犯人的那些监狱,里面其实都是些吃闲饭的人,最好把他们都除掉。他的这一建议立即被采纳了。再说,这些人当中肯定有人民的敌人,比如一个叫德拉鲁的妇女,她死去的丈夫曾是个下毒者:“她对自己被关进监狱一定很恼火。如果可能,她会放火烧了巴黎。她可能这么说过,她一定说过。把她也杀了吧。”

证据似乎很确凿,于是所有囚犯一下子全被杀了,包括五十来个十二到十七岁的孩子,他们将来可能会成为民族的敌人,所以除掉他们显然是有好处的。

一个星期的“劳作”之后,所有这些屠杀行动均已结束,杀手们终于可以考虑休息了。他们深信自己对国家做了很多贡献,于是跑去向政府讨奖赏,最勤勉的杀手甚至要求得到一枚勋章。

1871年巴黎公社的历史向我们提供了许多类似前面提到的杀人事件。随着群体影响力不断增强,政权在他们面前不断退让,我们肯定还会看到许多这样的事件。

第三章
刑事法庭陪审团

刑事法庭陪审团/陪审团的一般特点/统计显示陪审团的裁决与其组织结构无关/陪审团是如何受到影响的/推理的作用微乎其微/有声望的律师所使用的说服方法/陪审团表示宽容或严厉的犯罪类型/陪审团制度的益处和它被法官取代可能产生的极度危害。

在这里我不可能对所有类别的陪审团进行研究，因而只讨论其中最重要的一个，即刑事法庭陪审团。此类陪审团构成了非匿名异质群体的极好例子。我们从中能发现暗示感受性、起主导作用的无意识情感、薄弱的推理能力、领头人的作用，等等。在对刑事法庭陪审团进行研究的过程中，我们将有机会观察到一些有趣的错误实例，不了解群体心理学的人通常会犯这些错误。

陪审团首先给我们提供了一种证据，即从裁决的角度看，组成一个群体的不同成员，其智力水平并不重要。我们看到，当评议会要对某个并不是特别专业的问题发表意见时，智力完全不起作用。如果陪审团由一群学者或艺术家组成，那么在一般问题上，他们所做的判断并不明显有别于由泥瓦匠或食品杂货商组成的陪审团的判断。在各个不同的时代，政府部门会在被指定组建陪审团的人员中进行审慎的挑选，从受过教育的阶层中招募教授、公务员、文人等。今天，陪审团主要从小商贩、小厂主、职员中挑选。然而，让专业作家大为惊讶的是，陪审团无论由什么人组成，统计显示他们的裁决都一样。对陪审团制度抱敌对情绪的法官们不得不承认这种说法是正确的。现在我们来看看刑事法庭前庭长贝拉·德·格拉热先生在他的《回忆录》里对这个问题是怎么说的。

> 今天，陪审团成员的选定实际上被市议员操控，他们会根据其职位固有的政治和选举上的种种考虑，按照自己的意愿录取或淘汰……大多数当选者都是些商人（这些人都没什么声望，以前是不会被选上的）和一些政府部门的职员……所有观点和所有职业都融合在审判员的角色当中，不见区别，许多人都怀着新入教者的热情，有坚强毅力的人在极其卑微的境遇中相遇，陪审团的精神没有变：其判决都是维持原判。

对于我刚才援引的这段话，我们要牢记的是结论，因为它非常正确，并不是无力的解释。对于这种无力，不必太过惊讶，因为律师和法官似乎对群体心理（也就是陪审员心理）往往都不了解。我在刚刚列举的那位作者讲述的这个事件中找到了这方面的证据，刑事法庭的一位知名律师拉肖，常常对陪审团里的所有聪明人使用律师的拒绝权。然而，经验，唯有经验，最终告诉大家这样做是完全无效的。证据是今天的检察院和律师，至少在巴黎，都彻底放弃了这种权利。正如德·格拉热先生提醒大家注意的，判决没有变化，“既没有更好也没有更糟糕”。

如同所有群体，陪审员总是受到情感的强烈震撼，而很少为推理所动。“看到一个正在哺乳的女人，或一群孤儿，他们的心就软了。”一位律师写道。“女人只需讨人喜欢，就可以获得陪审团的好感。”德·格拉热先生说。

陪审员虽然对那些似乎会伤害到自己的罪行毫不留情——确切地说他们对社会也是很可怕的，却对情杀很宽容。他们很少严厉惩罚杀害婴儿的少女母亲。遇到被抛弃的少女向引诱人复仇，他们更是心软，出于本能地认为这些罪行对社会并不会构成太大的危险，在一个法律不保护被遗弃女孩的国家，女孩以复仇的方式威慑未来的诱奸者，这样的罪行有益无害。[①]

① 顺便提一下，陪审团出于本能把罪行划分为对社会构成危险的罪行和对社会无危害的罪行，这种划分并非毫无公正性。刑法的目的显然应该是使社会免受危险的犯罪分子的伤害，而不是为社会报仇。然而，我们的法典，尤其是我们法官的头脑，还深受早期古老法律复仇思想的影响，判决（拉丁文“vindicta”，意为报仇）这个词每天都还在使用。我们可以证明这种倾向，比如我们的大多数法官都拒绝执行极好的“贝朗热法”，该法容许囚犯可以不服刑，除非他再次犯罪。没有一个法官可以否认（有统计为证），第一次服刑的罪犯无一例外都会再次犯罪。而如果放了一个有罪的人，法官们总觉得没有为社会报仇。与其这样，他们宁愿制造一个危险的惯犯。

陪审团，如同所有群体，都被魔力冲昏了头脑，德·格拉热庭长恰如其分地指出，陪审团的构成非常民主，但情感很贵族："姓氏、出生、财富、名声、著名律师担任辩护、与众不同的事情和美妙闪亮的东西，所有这些都是被告手里一个强有力的证明。"对陪审员的情感施加影响——同所有群体一样，陪审团很少推理，要不就是只使用一些原始的推理方式——应该是每个优秀律师最关心的事。一位在刑事法庭作出显赫成绩的著名英国律师对律师的行动方式做了很好的解释。

> 他在辩护时仔细观察陪审团。这是有利时机。凭嗅觉和习惯，律师从他们的面部表情看出他的每句话、每个词所产生的效果，并得出结论。首先要辨别出为诉讼案件提前争取到的那些陪审员。辩护人转眼之间就取得了他们的支持，接着他走向那些看上去心情不好的陪审员，试图猜测他们为什么对被告怀有敌意。这是本项工作中最微妙的部分，因为要想给一个人定罪，除了正义感之外，还可以有无数理由。

这段话很好地概述了雄辩术的目的，并告诉我们为什么事先准备好的演讲稿没有用处，因为演讲者得根据听众的反应随时调整所使用的词语。

演讲者无需使陪审团的所有成员都赞同自己的意见，而只要说服对舆论起决定作用的领头人就可以了。如同在所有群体里那样，总有一小部分人领导其他人。"我的经验是，"我在前面提到的那位律师说，"判决的时候，只需一两个果敢的人就足以引导陪审团的其他人。”必须用巧妙的暗示说服这两三个人。首先，也是最重要的，得讨他们喜欢。群体中的人一旦感到愉悦，也就差不多被说服了，马上就会觉得人们向他阐述的任何论证都非常正确。我在有关拉肖先生的一篇有趣的文章中看到了下面这个轶事：

> 人们知道，在刑事法庭宣读辩护词的整个过程中，拉肖始终看着两三个陪审员，他知道或感觉到他们是有影响的人，但脾气不太好。一般情况下，他总是能征服这些顽抗者。但有一次，在外省，他发现坐在第二张长凳上的第一个人，即第七陪审员，面对他三刻钟的顽强辩论，始终刀枪不入。这真令人沮丧！他正充满激情地演讲时，突然，他停下了，对刑事法庭庭长说：“庭长先生，请您让人拉下对面的窗帘。第七陪审员被光线照得眼花。”第七陪审员脸红了，笑了笑，表示感谢。他被争取到了辩护方。

好些作家，包括一些知名作家，近年来都强烈反对陪审团制度，而这正是我们预防某个不受控制的派别经常犯错的唯一方式。[①]一些人希望陪审

① 法官实际上是唯一行动不受控制的行政官员。尽管发生了种种革命，民主的法国并不具备英国为之感到如此自豪的《人身保护法》。我们消除了所有暴君，但我们在每个城市都设立了一个法官，他可以随心所欲地支配公民的荣誉和自由。一个小预审法官，刚从法律学校毕业，就拥有可怕的权力，单凭他自己猜想的罪行就可以把最重要的公民关进监牢，无需向任何人提供证据。他可以以预审为借口关押他们半年，甚至一年，把他们放（转下页）

团只从知识渊博的阶层中招募，但我们已经证明，即使是这样，他们的判决与现在所做的完全一样。另一些人，根据陪审团所犯的错，希望取消陪审团，代之以法官。可是他们怎么可以忘记，指责陪审团犯的那些错误往往都是法官先犯的，因为被告来到陪审团面前时，他已经被好几个法官定罪了：预审法官、检察官和上诉法院的控告庭。人们很清楚，当被告被法官而不是陪审员最终判决的时候，他就会失去证明自己未犯所控之罪的唯一机会。陪审员的错误永远都是法官先犯下的错误。所以，我们在看到一些特别恐怖的误判时，要责怪的只能是法官。比如，对X医生的判决，一位思想极其狭隘的预审法官根据一个半傻的姑娘揭发指控他收了三十法郎为她堕胎这一事实，判处该医生苦役监禁，要不是该判决激起民愤，获得了国家首脑的立即特赦，他就进苦役犯监狱了。犯人的诚实得到同胞的一致认可，这就使得误判之粗暴一目了然。法官们自己也承认这一点。然而，出于身份集团精神，他们竭尽全力阻止特赦生效。在所有类似案件中，因为有许多专业细节是陪审团完全不了解的，他们自然会听取检察院的意见，心想反正案件已经被那些会钻牛角尖的法官们预审过了。那么，谁是错误的真正责任人呢，是陪审员还是法官？我们还是极其细心地保存陪审团吧。它可能是唯一一个无法被任何个体取代的群体类别。只有它能缓和

（接上页）了的时候既没有赔偿也没有道歉。传票与国王赦令是完全一样的东西，区别在于作为君主制的产物，受到指责的国王赦令只有非常显要的人物才能拿到，而如今的传票却在整个公民阶级的手中，而他们远没有被认为是最开明和最独立的人。

法律的刚性，因为法律对所有人都是一样的，原则上讲应该是不通融的，不考虑特殊情况的。铁石心肠、只认法律文本的法官，出于职业的严厉，对入室盗窃杀人犯和被诱奸者抛弃、贫苦不堪以至于杀害婴儿的贫苦女孩判处同样的罪行，而陪审团出于本能觉得那个被诱奸的女孩比诱奸者的罪过要轻得多，后者逃避了法律的制裁，她也应该受到宽待。

由于我非常了解什么是身份集体，什么是其他类别的群体，所以，如果我被错判犯了某罪，我宁愿找陪审员商议也不愿和法官打官司。在陪审员那里，我被确认无罪的机会有很多，而在法官那儿则很少。我们害怕群体的力量，但更害怕某些身份集团的力量。前者可以被说服，后者绝不会心软。

第四章
选民群体

选民群体的一般特点/如何说服他们/候选人应具备的道德品质/必须要有威望/为何工人和农民很少挑选自己内部的人/词语和惯用语对选民的影响/竞选演说的一般特点/选民的观点如何形成/委员会的势力/它们体现了最可怕的专制形式/法国大革命委员会/尽管普选的心理效应极弱，它仍然是不可替代的/即使人们把选举权限定在一个有限的公民阶层，为何通过表决作出的决议都是相同的/普选在各国所代表的意义。

选民群体，即应邀为某些职位推选有资格的人的集体，属于异质群体。然而，由于这些群体只涉及一个确定的问题，如在不同的候选人当中做出抉择，因而在他们身上只能观察到前面所描述的几个特点。

他们所呈现的群体特点，主要是推理能力弱、缺乏批判精神、易怒、轻信和简单化。人们还发现他们的决定往往受领头人的影响，以及前面列举的断定、重复、威望和传染这些要素所产生的作用。

我们来探究一下他们是如何受到诱惑的。使用一些最有效果的方法，便可清楚地推断他们的心理。

候选人要具备的第一个条件就是拥有威望。个人威望只有财产的诱惑力可以取代。才华，甚至天赋都不是成功的要素。

候选人必须拥有威望，也即无可置疑的影响力，这是最重要的。主要由工人和农民组成的选民，他们通常很少选与自己同业的人，这是因为从他们阶层走出去的那些重要人物对他们而言毫无威望。如果他们偶然推选他们中的一员，这往往是出于一些无关紧要的理由，比如为了抵制某个杰出的人，或某个让选民每天都处于其控制下的有权势的老板，因此选民也幻想着要成为主人，哪怕只是一会儿。

但是，仅有威望还不足以确保候选人获胜。选民看中的是他是否迎合他们的贪婪和虚荣。他必须对他们倍加赞扬，毫不犹豫地向他们许下最不可思议的承诺。如果选民是工人，那就用脏话侮辱并痛斥他们的老板，怎么骂都不为过。至于竞选对手，必须想方设法把他打败，用断定、重复和传染的方式证实他是个最无耻的恶棍，是个人人都知道犯了好几桩罪的犯人。当然，不用寻找任何勉强算是证据的东西。如果对手不太了解群体心理的话，他会试图以论据为自己辩护，而不是以其他的断定来回应他的断定，这样的话，他从此也就没有任何机会打败对手了。

候选人的书面计划不应写得太明确，因为他的对手之后会反驳他，但口头计划怎么写都不会太过分。再宏伟的改革都可以毫无畏惧地承诺。这些夸大其词在当时会产生很大的效应，以后也不会使他受到任何约束。我们确实经常注意到，选民从来不想知道当选者所许下的誓言实现了多少，而他可能就是因为这些誓言才被选上的。

这里，我们对曾描述的有关说服的所有要素都进行了确认。我们已经指出“词语”和“惯用语”的强大威力，我们还将在它们的使用中看到这些要素。懂得使用词语和惯用语的演讲者可以随心所欲地引导群体去他想去的地方。一些习语，如“该死的无耻之人”“卑劣的剥削者”“可敬的工人”“财富社会化”等，尽管已经过时了，但始终产生同样的效果。不过，如果候选者发现某个新的惯用语，而它又没有确切的意思因而能满足各种不同的诉求，他就获得了无懈可击的成功。1873年西班牙血腥革命的爆发就是因为使用了其中的一个咒语，因为词义复杂，每个人都可以按自己的方式理解。一位当代作家讲述了此次革命的起源，他所使用的措辞值得分享给大家。

激进派早就发现，一个中央集权的共和国就是一个伪装的君主国。为了取悦他们，西班牙议会齐声宣告成立联邦共和国，但没有一个投票者能说出他们刚才投票通过的是何物。但是这个惯用语让所有人喜出望外，这是一种沉醉、一种狂热。美德和幸福刚刚才在世间成为主流。一个共和主义者，如果他的敌人拒绝给他联邦政府的身份，他就会像受到置人于死地的辱骂而被激怒。人们聚集在大街上，喊着：联邦共和国万岁！接着，他们唱起赞歌，歌颂神圣的无纪律和士兵的自由。何谓“联邦共和国”？一些人理解为各省的解放，或类似美国的制度，或行政机关下放。另一些人则力求消灭所有权威，尽快开始社会大清算。巴塞罗那和安达卢西亚的社会主义者宣扬公社的绝对主权，他们打算把西班牙分成一万个独立的自治市，只接受自己的法律，同时取消军队和宪兵队。人们很快就看到，南方各省，暴动迅速在城市和村庄蔓延。一旦某个市镇发布政变宣言，它迫切要做的事情就是摧毁电报局和铁路，切断与邻省和马德里的所有联系。没有哪个惹人讨厌的市镇不想另起炉灶。联邦制让位于粗暴的、煽动性的和残忍的州郡行政制，到处是血腥的纵情狂欢。

至于推理对选民的精神可能产生的影响，千万不要去读选民会议的报道，这样就不会在这个问题上犹豫。选民会议上，人们轮番提出自己的判断，他们相互抨击，有时还相互殴打，从来不讲理。即使有片刻安静，那也是因为某个脾气古怪的在场者宣布他要向候选人提一个问题，他提的问题往往都非常令人尴尬，但总是能让听众开心。但这方的满足并未持续很久，因为这个强势的人的声音很快就被反对者的喊叫声淹没。下面的报道可以被视为公开的集会之典型，是我从日报数百篇类似的报道中挑选出来的：

一位组织者请到会者指定一名主席，于是风暴猛烈掀起。无政府主义者跳上台要攻占会议桌。社会主义者奋力防守。双方殴打起来，都说对方是密探、叛国者，等等，一个公民带着被打的青肿的眼睛离开会场。

最终，在一片喧闹声中，桌子被勉强放好，X同志坐在会议专席上。

演讲者全力向社会主义者发起进攻，但被后者打断了，他们喊叫着“笨蛋！强盗！恶棍！”，等等，X同志以阐述某个理论回应这些谩骂，根据这个理论，社会主义者都是些“白痴”，要不就是些“可笑的人”。

……为了庆祝五一劳动节，阿勒曼党昨晚在位于神庙镇大街的商业大厅组织了一场大型预备会议。口号是：“冷静与安宁。”

G同志认为社会主义者都是“笨蛋和骗子”。

听了这些话，演讲者和听众开始相互谩骂，甚至打了起来。椅子、长凳和桌子等都用上了。

我们千万不要认为这种争论是某一特定阶层的选民独有的，并取决于他们的社会地位。在所有匿名大会中，无论是什么大会，即使与会者都是文人，争论都很容易具有相同的形式。我曾指出，处于群体中的人们都会慢慢变得智力相等，我们随时都能找到这方面的证据。下面这个例子是关于一次大学生会议的报道，是我从一份报纸上摘录的：

夜深了,喧嚣声则越来越大,我感到没有一位演讲者能说上两句话而不被打断。每时每刻都有喊叫声从一个或另一个方向,或同时从三个方向响起。人们鼓掌、吹哨。激烈的争论在不同的听众之间产生。有人举起拐杖,气势汹汹。有人把地板跺得咚咚响。谁打断别人说话都会引来一片叫嚷声:"滚出去!上辩论台!"

C先生大骂学生协会,说它"可恶""软弱""残酷""卑鄙""腐败""爱记仇",还说要消灭它,等等。

人们会想,在这种情形下,一个选民的观点如何得以形成。但是,提这样的问题就意味着对一个集体可能享有的自由度抱有特别的幻想。群体拥有强加给自己的观点,而绝非通过推理得到的观点。在我们所关注的这个事件里,选民的观点和选票都被选举委员会操控,委员会的领导往往就是几个酒商,这些酒商对工人影响很大,因为他们允许工人赊账。

"您知道选举委员会是什么吗?"谢雷先生写道,他是当今民主制最勇敢的捍卫者之一。"很简单,就是我们各项制度的基点,是政治机器上的主要部件。法国现在就是由各种委员会统治的。"[①]因此,候选人只要稍微令

① 委员会,不管名称是什么,是俱乐部还是工会等,也许都是群体力量中最可怕的危害。它们其实是最非个人的形式,因而也是专制最暴虐的形式。委员会的领头人被认为是代表集体说话和行动的人,所以不承担任何责任,可以无所不能。最凶残的暴君从来都不敢梦想革命委员会所拥有的那些剥夺权。罗伯斯庇尔还能代表委员会领头人说话的时候是一位拥有绝对权力的统治者。巴拉斯说:"他们大批杀害国民公会议员并定期勒索国(转下页)

人满意并拥有足够的财源，对它们施加影响并不是太难。据捐赠人供认，三百万足以让布朗热将军再次当选。

这就是选民群体的心理。它与其他群体心理是一样的。不会更好也不会更坏。

因此，从以上所述我不会得出任何反对普选的结论。如果我可以决定它的命运，那么，我会保留它，就像它现在这样，这是出于我们对群体心理学研究而引发的一些实际理由，我将对此进行陈述。

或许，普选的缺陷太过明显，成为尽人皆知的东西。所有文明都是极少数上层精英的杰作，我这么说应该不会有人提出异议。这些精英构成了金字塔的顶端，由它往下的阶层越宽广，其精神价值越低，是一个民族最深的底层。文明之伟大肯定不会取决于下层成员的普选，他们只代表数量。或许群体的普选常常是很危险的。它们已经让我们付出了多次被侵略的代价，随着社会主义的胜利，人民主权的突发奇想必定会让我们付出更高的代价。

但是，这些在理论上显得极好的反对意见，一旦实践就失去了所有力量。人们应当还记得，思想变成信条后便具有不可战胜的力量。群体统治的信条，从哲学的角度看，同中世纪的宗教信条一样，都是不经一驳的，在今天却拥有绝对的力量。因此，同昔日我们的宗教观念一样，它也是无懈

（接上页）民公会”。当可怕的独裁者因为自负带来的问题而与他们分开时，他就彻底完了。群体统治就是委员会即领头人的统治。我想象不出还有比这更残酷的专制了。

可击的。假设一个现代自由思想者，被一种魔力带回中世纪。他看到宗教观念盛行，掌握着统治权，您认为他还会试图同宗教观念作斗争吗？落入一个法官的手中，这个法官指控他与魔鬼签署了条约或者参加了巫魔夜会，想判处他火刑，这时，他还会想到对魔鬼或巫魔夜会的存在提出异议吗？人们不与群体谈判，就像不跟飓风聊天一样。今天普选的信条同昔日基督教信条拥有同等的威力。演讲者和作家谈论起普选的信条时都满怀崇敬，赞不绝口，路易十四从未受到如此崇拜。因此对待它要像对待所有宗教信条那样。唯有时间能对它们产生影响。

此外，试图动摇这一信条也是没用的，更何况它本身就存在一些无可置疑的道理。“在人人平等的时代，由于相似性，人们彼此无任何崇拜。”托克维尔恰如其分地指出，“而正是这种相似性使得他们无限信任大众的评判。因为在他们看来，人人拥有同样的智慧，真理却不站在大多数人这边，这是不可能的。”

难道现在应该认为，如果采取限制选举，即选民只能是有才智的人，群体的选举结果就会更好？我决不会同意这个观点，原因我已经说过，就是所有集体，无论由什么人构成，智商都很低。群体中，人始终是平等的，在一般问题上，四十个院士的投票并不比四十个送水工的投票更合理。比如，人们对恢复帝制的普选投票倍加指责，我不认为如果投票者换成清一色的学者和文人，选举结果就大不一样。这并非因为某个人懂希腊语或数学，是建筑师、兽医、医生或律师，他对社会问题就有独特的见解。我们的经济学家都是知识渊博的人，大多数都是教授和院士。对于贸易保护主义、复本位货币制等一般问题，他们最终能在一个问题上达成一致吗？这是因为他们的学识不过是普遍无知的轻度表现形式而已。面对存在着许多未知数的社会问题，所有无知的表现都是相同的。

所以说，即便选举团的成员都是博学的人，他们的投票也不会比现在的情况好。他们尤其会受情感和党派精神的左右。我们现在的争执一个也不会少，而身份集团的专横暴虐必定更加严重。

限制选举或普选，在共和制国家和君主制国家都很盛行，无论是在法国、比利时、希腊、葡萄牙还是在西班牙，群体的选举到处都一样，它所表达的往往都是种族无意识的渴望和需求。当选者的中等水平，即不好也不坏，对每个国家来说体现了种族的普遍心理。这种普遍的心理世世代代差不多都是一样的。

我们又回到已经多次遇到的种族这个基本概念，而由种族概念引发的其他概念如制度和政府，它们在民族生活中所起的作用则微不足道。民族尤其受种族心理即祖先遗传因素的支配，而种族心理又是遗传因素的简要概括。种族和一系列的日常需要，这些才是决定我们命运的神秘主宰。

第五章
议　会

议会群体显示出的大部分特点都是为非匿名异质群体所共有的/观点的简单化/暗示感受性及其限度/顽固不化的定见和可变观点/为何犹豫不决占主导地位/领头人的作用/他们拥有威望的原因/他们是议会的真正掌控者，议会选举因而只是极少数人选举/他们所行使的绝对权力/他们的演讲术包含哪些要素/词语和形象/领头人往往被说服并受限，其心理需求是什么/没有威望的演讲者不可能让别人接受其论点/议会群体情感的过激，是好还是坏/某些时候，议会群体会出现无意识行为/国民公会会议/议会在哪些情况下会丧失群体特点/专家在技术性问题上的作用/议会制在各国所呈现出的优势和弊害/议会制顺应现代的种种需求，但会导致财政浪费并让所有自由逐渐受限/结语。

议会是非匿名异质群体。尽管议员的招募方式因时代和民族的不同而不同，议会所呈现的特点却极为相似。我们明显能感觉到种族的影响，它能减弱或增强议会群体特点的显现,但决不会阻碍它们显现。差别最大的那些地区的议会群体,如希腊、意大利、葡萄牙、西班牙、法国和美国的议会群体,议论和投票的方式极为相似,政府要应对的困难也都一样。

此外,议会制体现了现代所有文明民族之理想。它表达了这样一种观念(尽管从心理学角度看这个观念是错误的,却被大众普遍接受),即对一定的问题,许多人聚集在一起总比一小部分人更能做出明智而独立的决定。

我们将在议会中发现群体的一般特点:观念的简单化、易怒、暗示感受性、情感过激、领头人的主导作用。然而,由于议会结构特殊,议会群体呈现出一些不同的特点,我们将对此进行分析。

观点的简单化是这些议会最重要的特点之一。议会中的各个政党,尤其在拉丁民族中,都能看到某种始终如一的趋向,即总是用最简单的抽象原则以及适用于所有事件的一般法去解决最复杂的社会问题。每个政党都有自己的原则,这是必然的。但是,只要个人结成群体,他们就总是倾向于夸大这些原则的价值,使其产生最严重的后果。因此,议会着重提出的都是一些极端的观点。

议会中观点简单化的最典型例子就是法国大革命时期雅各宾派人的行动。他们武断且逻辑性很强,满脑子都是含糊的泛泛而谈,一心只想着运用固定的原则,对事件则漠不关心。完全有理由可以说,他们经历了大革命却没有看到大革命。他们用那些极其简单的信条作为自己的行动指南，希望重建一个全面的社会，却把一种完善的文明带回到社会革命之前很遥远的一个阶段。他们为实现自己的梦想所使用的方法也是极其简单化的。实际上，他们仅仅是在使用暴力摧毁妨碍他们的东西。而且，所有人，包括吉伦特派、山岳派、热月党议员等，都为同样的思想而疯狂。

议会群体很容易受到暗示，同所有群体一样，暗示来自有威望的领头人。但在议会中，暗示感受性有极其明显的局限性，指出这点很重要。

在所有涉及地方或地区利益的问题上，议会里的每个成员都有固定的不可改变的观点，任何理据都不能使之动摇。在贸易保护或自酿酒师的特权这些问题上，即便是狄摩西尼[①]那样的天才，也无法改变某个议员的投票，因为这些问题反映了一些有威信的选民之需要。这些选民前面的暗示极其重要，足以使所有其他暗示无效，并让观点保持固定不变。[②]

在一般性问题上，比如推翻一届内阁、设立某种捐税等，就再也没有固定不变的观点了，领头人的暗示能起作用，但不完全像在普通群体中那样。每个政党都有自己的领头人，他们有时能产生相同的影响。由此导致的结果是，议员处于各种相反的暗示之间，必然会变得犹豫不决。这就是为什么人们经常看到他在一刻钟时间内投相反的票，或者给法律加一个条文然

① 狄摩西尼（Demosthenes，前384—前322），古代雅典演说家，他的演说语言简练，富有强烈的感情色彩和说服力，被后世认为是古希腊散文的典范。——译注

② 一位英国老议员的思考与这些先前就已经确定，因选举的必要手段而变得不可改变的观点或许很相符：“我在威斯敏斯特议会占有席位已经五十年了，我听过数千场演讲，能让我改变主意的演讲倒有几场，但没有一场演讲改变了我的投票。”

后又推翻它，比如剥夺企业家选择和辞退工人的权利，然后又通过一个修正案，这就差不多取消了先前的规定。

所以，每届议会都有某个议院有些观点非常明确，有些则犹豫不决。实际上，一般性问题是最多的，因而不确定因素占上风，这往往来自对选民始终如一的敬畏，因为选民的潜在暗示始终有制约领头人的影响之趋势。

然而，在众多辩论中，如果议会议员没有不可动摇的先前观点，最终真正起作用的还是领头人。

必须有领头人，这是不容争辩的。领头人在每个国家的议会里都是以群体首领的名义出现的。他们是议会的真正主宰。群体中的人不能没有一个主子。所以，议会投票通常只代表极少数人的观点。

领头人很少以理性思考说服人，更多地以他们的威望产生影响。最好的证明就是，如果某种情形使他们失去威望，那他们就再也没有影响力了。

领头人的这种威望是个人的事，与头衔和名声无关。朱尔·西蒙先生曾在1848年的议会中任职，他在谈到那届议会中的大人物时，向我们列举了一些非常有趣的例子。

路易-拿破仑在拥有无限权力之前的两个月，还是个默默无闻的人。

维克多·雨果登上议会辩论台。他没有获得赞扬。人们听他演讲，就像听费利克斯·比亚[①]演讲一样，也没有多少人鼓掌。"我不喜欢他的思想，"沃拉贝尔（Vaulabelle）在谈到比亚时对我说，"可雨果是法国最伟大的作家之一，也是法国最伟大的演说家呢。"埃德加·基内[②]是一位罕见的有重要影响的人，但丝毫未受到重视。议会召开前他曾一度是知名人物，但在议会里，他受到了冷落。

政治会议是世间天才的光芒最不能够被感觉到的地方。人们所看重的仅仅是某种与时间和地点相符的口才，只考虑为各政党服务，而不是报效祖国。要让人们在1848年和1871年分别对拉马丁[③]和梯也尔[④]表示敬意，那就需要迫切的、不可抗拒的利益去刺激他们。危险一旦过去，人们就同时不再有感恩和恐惧之心了。

我援引前面这段话是出于其中包含的事实，而非它所呈现的种种解释。

这些解释从心理学角度看平淡无奇。群体如果总是想着效忠于领头

---

① 费利克斯·比亚（Felix Pyat，1810—1889），法国记者，倡导激进思想，曾两度当选议员。——译注

② 基内（Edgar Quinet，1803—1875），法国历史学家，1871年至1875年为国民议会议员。——译注

③ 拉马丁（Alphonse de Lamartine，1790—1869），法国浪漫主义文学前驱、政治家。1833年当选为众议员，1848年巴黎二月革命后为临时政府的外交部部长。——译注

④ 梯也尔（Adolphe Thiers，1797—1877），法国政治家、历史学家。七月革命后，先后担任内阁大臣、首相和外交大臣。1871—1873年任法兰西第三共和国首任总统。——译注

人，不管是为祖国还是为政党服务，那立刻就会失去他们所具有的群体的特点。群体服从领头人，是因为他们被他迷住了，不存在任何利益或感激之情。

因此，有充分威望的领头人拥有的权威可以说是绝对的。人们知道，一位著名的议员，因为一些金融事件在最近的选举中被击败，而他曾因其威望在很多年的时间内都拥有巨大的影响。他只要做一个示意动作，所有内阁就都倒台了。一位作家在下面几行文字里明确地指出了此人的影响力。

> 我们花了三倍的钱买下了东京[①]，在马达加斯加摇摇晃晃只迈了一步，在尼日尔南部让人强占了整个一个帝国，在埃及失去了我们所占据的主导地位，这一切主要都归咎于X先生。这位先生的理论让我们付出领土的代价比拿破仑一世带来的灾难还要大。

不应该过于指责提到的这位领头人。他确实让我们付出了极大的代价。但他的影响一大部分在于他总是听取大众的意见，而在殖民地这个问题上，那时大众的观点和现在的完全不同。领头人胜过舆论，这几乎不存在。他差不多总是跟着舆论走，并拥护它的所有错误想法。

---

① 东京（Tonkin），越南北部一地区旧称。——译注

领头人的说服方式，除了威望，还有就是我们已经列举了多次的那些因素。要想巧妙地运用这些方式，领头人必须——至少是以一种无意识的方式——深入群体心理，懂得如何跟他们说话。他尤其应该了解词语、惯用语和形象所具有的迷人影响。他必须具备非同一般的口才，既有摆脱证据的大胆断定，也须带有扼要思考能力的令人震撼的形象。在所有议会中都能遇到这种口才，包括英国议会——所有议会中最温和的。英国哲学家梅因[1]说：

> 我们经常能读到关于下议院辩论的描述，整场辩论都是些无说服力的泛泛而谈和强烈的个性的对峙。说到想象一个纯民主制的时候，那类泛泛而谈的惯用语却产生了一种神奇的效果。用激起反感的词语让群体接受一些普遍的论点，总是不难的，尽管这些论点从未被证实过，也许根本不需要证实。
>
> 上述引文中提到的"激起反感的词语"，说它怎么重要都不过分。我们已经多次强调词语和惯用语的特殊力量。必须选择能唤起强烈印象的词语。下面这句话引自我们议会的一位领头人的演讲，是一个极好的典型：
>
> 有一天，同时载着腐败的政客和无政府主义杀人犯的一艘船驶向

① 梅因（Henri Maine，1822—1888），英国著名法学家、历史学家。著有《古代法》，在西方法学界影响很大。——译注

那片狂热的流放地，他们俩可以交谈，看上去就像同一个社会秩序互为补充的两面。

如此唤起的形象非常清晰，演说者的所有对手都感到被它要挟。他们同时看到了狂热的流放地和会把他们带走的船，因为他们自己难道就不会成为那类不好界定的受到威胁的政客吗？他们于是感到了国民公会议员曾经有的那种沉闷的恐惧，当年罗伯斯庇尔的信口演讲就是用绞刑架上的铡刀来恐吓他们的，在这种恐惧的作用下，他们总是向他让步。

领头人对不着边际的夸大其词特别感兴趣。我刚刚援引的上面那句话的演说者曾断言，银行家和神父正在雇用炸弹客，还说大金融公司的董事应该受到和无政府主义者同样的惩罚，但这些都没有煽起大的抗议运动。对群体来说，这类断定总是生效的。断定怎么疯狂都不为过，夸张的词语也是，怎么气势汹汹也都不过分。没有什么能比这种口才更让听众惶恐不安的了。他们不敢提出抗议，害怕自己会被当作叛徒或同谋。

就像我刚刚说的，这种特殊的口才在所有议会里都占优势。在危急期这种优势只会增强。从这个角度看，阅读法国大革命时期议会中那些著名演说家的演讲稿是一件非常有趣的事。每时每刻，他们都觉得自己必须停下来痛斥罪恶、赞扬美德。接着，他们怒斥暴君，发誓要活得自由，否则宁愿死。全场起立，拼命鼓掌，然后恢复平静，重新坐下。

领头人有时可能是既聪明又有文化的人，但这通常对他来说是有害无益。在可以指出事物的复杂性，可以解释和理解的时候，智力总会使人变得宽容，并大大削弱信徒赖以生存的信念之强度和粗暴程度。各时代的伟大领头人，尤其是法国大革命的领头人，他们的知识狭隘得可怜，而施加最大影响的正是那些知识最狭隘的人。

这些人当中最著名的要数罗伯斯庇尔，他的演讲常常因缺乏条理而令人惊得目瞪口呆。如果只是读他的演讲稿，对于这位有权有势的独裁者所拥有的巨大影响，你从中找不到任何说得过去的解释：

> 说教辩论和拉丁文化中的老生常谈和重复啰嗦，为一个与其说庸俗乏味不如说很幼稚的人所用，此人无论是攻击还是辩护，似乎只会说小学生常说的那句话："那就来吧！"没有观点，没有花招，没有妙语，简直是无聊透顶。读完他那些枯燥乏味的演讲稿，我真想像可爱的卡米尔·德穆兰[1]那样舒口气："喔唷！"

一个有威望的人因具有坚定的信念而被赋予强大的力量，但同时他又是个思想极其狭隘的人，有时，想到这一点就觉得恐怖。不过，必须具备这些条件才能无视障碍，知道想要什么。出于本能，群体能在那些精力充沛、

① 德穆兰（Camille Desmoulins，1760—1794），法国大革命时期的著名记者和演说家，因在政见上与罗伯斯庇尔发生分歧，被送上断头台。——译注

自信正确的人当中认出他们始终需要的主人。

议会中，演讲的成功几乎只取决于演说者所具有的威望，而绝非他所提出的论据多么充足。最好的证明就是，当某个原因使演说者不再有威望，他同时也就失去了全部影响力，即按自己的意愿操纵投票的权力。

至于无声望的演说者，尽管他到来时带着一份有充分论据的讲稿（但只有论据），却连被倾听的机会都没有。德屈布先生是一位老议员，下面是他最近对没有威望的议员之形象所做的描述：

> 他在辩论席坐下，从公文包里拿出一份材料，小心翼翼地在面前打开，镇定地开始演讲。
>
> 他自以为把那份令自己振奋的自信带到了听众的心里。他反复掂量了他的那些论据，满脑子都是数字和证据，坚信自己是对的。任何对抗，在他提供的事实面前，都将是徒劳的。他开始演讲，确信自己有理并能得到同行的关注，因为他们肯定只希望屈服于真理。
>
> 他说着，不一会儿大厅里发生了骚动，他感到很意外，越来越大的嘈杂声让他有点恼火。
>
> 怎么安静不下来？为什么所有人都这么不专心？那些窃窃私语的人到底在想什么？那人为什么急着离开自己的座位？
>
> 他的额头掠过一丝忧虑。他皱了皱眉，停下了。在议长的鼓励下，他又开始演讲，提高了嗓门。听的人更少。他拼命抬高声调，他

坐立不安了，因为四周的叫嚷声更厉害了。他连自己说话声都听不见，于是又停了下来。接着，害怕自己的沉默会引发愤怒的吼叫："下去！"于是他讲得更起劲了。吵闹声变得让人难以忍受。

当议会群体情绪激动起来，发展到一定程度的骚动时，他们就变得与普通异质群体毫无差异，他们的情感因此也会表现出总是走极端的特点。人们将看到他们不是做出英雄主义的伟大行为就是犯下暴行。个人不再是自己，在这种情况下，他会为最违背自己利益的种种措施投票。

从法国大革命的历史可以看到，议会群体可以处于完全无意识状态，他们会盲目服从最违背自己利益的种种暗示。放弃贵族的特权，这对贵族阶级来说是一种巨大的牺牲，然而，制宪会议某个著名的夜晚，他们毫不犹豫地这样做了。对国民公会议员来说，放弃议员豁免权，意味着长期面临死亡的威胁，但他们也这样做了，他们不怕互相残杀，尽管他们知道今天送同伴上断头台，明天就会轮到自己被斩首。

但他们已经到了我曾描述的这种完全无意识行为之状态，任何理由都无法阻止他们服从那些令他们着迷的暗示。下面这段话是从他们中的一员，一位叫比罗-瓦雷内（Billaud-Varennes）的回忆录里摘录的，可以作为这方面的典型例子："人们对我们的那些决议大加指责，"他说，"**但在两天或一天前，我们还不想做出这样的决议，是危机带来的后果。**"没有比这更一针见血了。

同样的无意识现象在国民公会所有争论激烈的会议期间都出现过，泰纳说：

> 他们同意并做出决定，所做的决定都是他们所厌恶的，不只是蠢事和荒唐事，还有凶杀、杀害无辜、杀自己的朋友。左派团结右派，以一致通过和最热烈的掌声，将丹东——他们的天赋首领，法国大革命的伟大发起人和领导者——送上了断头台。右派团结左派，以一致通过和最热烈的掌声，投票通过了大革命政府最糟糕的法令。又是一致通过并伴随着赞赏和热情的呼喊，对科罗·德布瓦、库东和罗伯斯庇尔表示热烈拥护，国民公会还以自发的多次重选，使杀人政府保持原位，平原派恨它是因为它杀人，山岳派恨它是因为它屠杀山岳派的人。平原派和山岳派，多数派和少数派，最后都同意不作抵抗，自取灭亡。牧月22日，国民公会全体议员引颈就戮。热月8日，罗伯斯庇尔开始演讲才一刻钟，国民公会再次做出同样举动。

画面可能有些恐怖。但这是真事。议会群体兴奋、入迷到一定程度就会显示同样的特点。他们变成一群走动的羊，受冲动的支配。下面是一位具有坚定的民主政治信念的议员斯普莱先生对1848年议会的描写，很有代表性，我是从《文学杂志》转载的。从中能发现我所描述的群体的所有过激情感以及他们极其多变的特点，可以在瞬间经受各种对立的感情的变化。

> 争执、嫉妒、怀疑,时而盲目信任,时而无限期望,这些导致了共和党的失败。它的天真和单纯只有它的普遍不信任可以比得上。毫无法治观念,缺乏对规则的理解力,因而只有恐惧和无止境的幻想,只有农民和儿童才会有这些表现。他们安静和急躁起来都让人无法忍受。他们的野蛮同他们的温顺不相上下。这是一种未经雕琢和缺乏教育的天然性格。没有什么东西会让他们感到惊奇,而所有东西都会使他们感到困惑。既惊慌不安,胆小如鼠;又勇敢,具有英雄气概,他们敢于赴汤蹈火,但也会在一个影子前吓得后退。
>
> 他们一点都不了解事情的结果以及它们之间的关系。失望和兴奋一样,说来就来,总是感到惊慌失措,讲话通常不是盛气凌人就是低三下四,绝不会恰如其分,适可而止。他们比水的流动还变化无常,能照出所有颜色,显示出所有形状。我们靠他们能建立什么政府呢?

幸好,我们刚刚描述的所有特点还远远不会在议会中表现出来。议会只是在某些时候才构成群体。议会议员在大多数情况下都能保持自己的个性,这就是议会能制定出极好的专业法规的缘故。这些法规的作者是专家,是他在安静的书房里制订的,这是真的。投票通过的法规其实是一个人的成果,而不再是某个议会的集体创作。可想而知,这些法规是最好的了。只有当人们对它们做一系列无价值的修正使其变成集体的产物时，它们才变成灾难性的东西。群体的作品无处不有并且总是劣于独处的个人的作品。把议会从那些过于混乱、极不内行的措施中拯救出来的，正是专家们。所以，专家是暂时的领头人。议会影响不到他，但他可以影响议会。

尽管议会在运转过程中遇到各种各样的困难，但对于民族来说它仍然是良好的自治机构，尤其是可以最大限度地摆脱个人专制的枷锁。它当然是统治的典范，至少对哲学家、思想家、作家、艺术家和学者来说如此，总而言之，对构成文明顶端的所有人来说都是这样。

再说，其实它只有两个大的弊害：一个是不可避免的资金浪费，另一个是个人自由会越来越受到限制。

第一个弊害是选民群体的种种要求和缺乏预见造成的必然结果。当议会的成员提出一项表面上看能满足一些民主政治观念的措施时，比如确保所有工人都能拿到退休金，提高养路工和小学教师的薪水，等等。这时，其他议员因受到对选民的害怕的暗示，担心对提出的措施投反对票会显示自己鄙视这些选民的利益，尽管他知道这项措施会使预算负担过重因而必须设立新的赋税。投票不能有丝毫犹豫。开支增长的后果要在很久以后才能显现，对他们没有特别严重的影响，而如果投反对票，第二天出现在选民面前时，后果肯定不堪设想。

除了增加开支这第一个原因外，另一个原因就是必须赞成纯属地方利益的所有开支。议员不应对此表示反对，因为这些开支也代表了选民的要求，每个议员唯有服从其他议员的类似要求，才能获得自己选区所需要的东西。[①]

上面提到的第二个弊害即议会必然会使自由得到限制，这在表面上看不那么明显，但实际情况就是如此。这是法规太多造成的后果，因为法律总是限制性的，而思维简单化的议会看不到这些后果，以为自己必须投赞成票。

这个弊害当然是不可避免的，英国本身无疑是议会制最完美的典范，在英国议会中，代表完全独立于选民，但它也未能避免此弊害。赫伯特·斯宾塞早在一项研究中就指出，自由表面上前进一步，实际上就倒退一步。他最近出的一本书《个人与国家》探讨的还是同样的主题，关于英国议会，他是这么说的：

---

① 1895年4月6日那期的《经济学家》对这一年当中纯粹出于选举的利益而可能产生的花费（尤其是建造铁路的开支）做了有趣的回顾。为了把位于一座山上的朗加耶小镇（3 000名居民）与普伊连通，议会通过了耗资1 500万法郎修建一条铁路的提案。此外，从博蒙（3 500名居民）到卡斯特尔-萨拉森的铁路耗资700万；从乌斯特村（523名居民）到赛克斯村（1 200名居民）的铁路，700万；从普拉德到奥雷特镇（717名居民）的铁路，600万，等等。仅1895年，就有900万用于修建地方铁路的提案被通过。其他同样出于选举的利益考虑而通过的支出也并不比这少。据财政部部长说，工人退休金的法律一旦通过，每年将至少产生1.6亿法郎的支出，勒鲁瓦-博里厄院士认为很可能是8亿法郎。显然，这些费用的持续增长必然会导致破产。很多欧洲国家如葡萄牙、希腊、西班牙、土耳其都走到了这一步，其他国家很快就会陷入同样的绝境。但也不必太担心，因为各国公众没有提出愤怒的抗议就接受了减少五分之四的息票。这种巧妙的破产使得受损的预算暂时恢复平衡。此外，战争、社会主义、经济斗争使得我们将要应付许多其他灾难，我们已经进入全球解体的时代，还是过一天算一天吧，不要过于担心未来，因为这是我们无法掌控的。

从那时起立法就遵循着我所指责的那条路前进了。专断的措施迅速增加，继续朝着限制个人自由的方向发展，这样的措施有两种方式：建立了一些规章制度，每年都在增加，这就使得原先行动完全自由的公民不得不去完成他们以前凭兴趣可做可不做的事情；同时，捐税越来越重，尤其是地方税，这就更加限制了公民的自由，因为从他的收益中减去的那部分本来是可以被他随心所欲使用的，而从他收益里扣取的那部分增长的税额却被公职人员随意使用。

这种对自由越来越大的限制在所有国家都是以一种特殊形式显现的，赫伯特·斯宾塞没有指出的这种形式应该是这样的：创造无数有法律特征，通常都是限制性的系列措施，这必然会增加负责实施这些措施的公务员的数量，增加他们的权力和影响。这样，长此以往，他们就会成为文明国家的真正主人。他们的权力越来越大，尤其是在政权的不断变化下，行政集团是唯一能避开这些变化的集体，也是唯一拥有不承担责任、非个人性和永久性的集体。而在所有专制政府中，没有比以这三重形式出现的专制政府更令人难以忍受的了。

不断创造限制性的法律法规，用一些空洞无用的规则来约束生活中的每一个细小行为，如此所带来的必然后果便是公民可以自由活动的范围越来越小。认为增加法规的数量，平等和自由就能得到更大的保障，这是一种幻想，民众成了这一幻想的受害者，他们每天都在忍受更加沉重的枷锁。

他们忍受这些枷锁并不是没有恶果的。由于承受各种枷锁成了一种习惯，没过多久他们便去寻找它们，最终丧失了全部本能和全部活力。于是，他们只是些虚幻的影子、麻木不仁的玩偶，没有意愿，没有抵抗力，也没有力量。

然而，当人在自己身上再也找不到活力的时候，他就只能去身外寻找。随着公民的冷漠和无能越来越明显，政府的作用不得不进一步深化。个体失去的创造性、行动力和引领精神，政府必须来承担。它什么都得做，指挥一切，保护一切。国家变成了一个万能的神。但经验告诉我们，这种神，它的威力从来都不会持续很久，也不会变得非常强大。

在某些民族，这种对所有的自由越来越大的限制，似乎是民族衰老的结果，也是任何一种制度衰老的结果，尽管表面上的放任给人们造成一种幻觉，觉得自己拥有自由。对自由的越发限制是没落阶段即将到来的预兆之一，直到现在，没有一个文明能幸免逃过这个阶段。

如果我们以过往的教训和各处出现的征兆做判断，我们的很多现代文明都到了没落前极其衰老的阶段。一些相同的阶段似乎必然会给所有民族带来不幸，因为我们常常看到历史总是在重复它的进程。

对文明的一般性演变的这些阶段做扼要的说明并不难，我将对此进行概述作为本书的结语。

如果我们对我们的文明之前的那些文明之强盛与衰败的起因做一个大致的探究，我们会发现什么？

文明诞生之时，许多来自不同地方的人，因迁徙、入侵和征服的偶然机会聚在一起。这些人血缘不同，语言和信仰也不同，唯一的共同联系就是大致被认可的一位首领的统治。在这些混杂的人群中，群体的心理特点得到最高程度的彰显。英雄主义、软弱无能、冲动和暴力行为，这些都处于暂时的和谐中。他们身上没有什么是稳定的，都是些野蛮人。

然后，时间完成了自己的作品。环境的相同、交配的重复、共同生活的需求，这些在慢慢地起作用。由不同的共同体组成的群体开始融合并形成一个种族，即一个具有共同特点和情感的集合体，而遗传性会使这个群体越来越稳固。群体成为一个民族，这个民族将有可能走出野蛮状态。

不过，只有当这个民族经历了长时间的努力、不断重复的斗争和无数次重新开始之后获得一种理想，这时，它才能真正脱离野蛮状态。这是怎样的理想，是罗马的崇拜，雅典的强大，还是真主的胜利，这并不重要，它足以使正在形成的那个种族里的所有人都具有完全一致的情感和思想。

只有这时才可能出现一种新的文明，它有自己的制度、信仰和艺术。在梦想的驱动下，种族将接连创造辉煌，变得更有活力，更强大。它在某些时刻或许还是群体，但在群体变化无常的特点的后面，还有个稳定的基质，即种族灵魂，它使民族不断变动的范围受到严格限制并制约着偶然因素。

但是，时间在完成了它的创造性活动之后，便开始摧毁之能事，无论是神还是人都逃不过这灭顶之灾。文明强大和复杂到一定程度便会停止发展，它一旦不再前进，就必然会迅速败落。文明衰老的时刻就要到了。

这个不可避免的时刻总是带着某种痕迹，即支撑种族灵魂的那个理想变得衰弱。理想渐渐失去光芒，在它的启示下建立的所有宗教、政治或社会大厦也都开始动摇。

随着种族理想的逐渐消失，种族也越来越多地失去使其融合、团结和强大的动力。个人的个性和才智会增强，但同时种族的集体利己主义被种族的个人利己主义的极端发展替代，伴随着种族特点的消失和行动能力的减退。构成一个民族、一个统一体和一个整体的那些要素最终都变成了一堆没有凝聚力的个人，由于传统和制度的人为作用还能再维持一些时候。

人们因各自的利益和诉求而产生分歧，再也不知道如何自治，做任何事都需要有人领导，国家便尽其全力施加其影响。

随着古老理想的最终消亡，种族最终也完全丧失其灵魂。它只是一堆独处的个体并且又回到了起点的状态：一个群体。它具有群体所有的暂时性特点，无定见且不计后果。文明失去了稳定性，只能听从命运的安排。民众掌权，野蛮人当道。文明可能看上去还很辉煌，因为它还拥有漫长的历史所创造的外观，但这其实是一座被虫蛀蚀的大厦，它再也支撑不住了，暴风雨一来就会崩塌。

从野蛮过渡到文明，始终在追逐一个梦想，而一旦梦想失去其力量，便衰落，走向死亡，这就是一个民族的生命周期。

完。

经典译林

Yilin Classics

书名	单价	书名	单价
癌症楼	78.00 元	艾青诗集	35.00 元
爱的教育	39.00 元	爱丽丝漫游奇境	29.00 元
安娜·卡列尼娜	65.00 元	安徒生童话选集	42.00 元
傲慢与偏见	36.00 元	奥德赛	92.00 元
八十天环游地球	32.00 元	巴黎圣母院	42.00 元
白洋淀纪事	39.00 元	百万英镑	35.00 元
包法利夫人	38.00 元	悲惨世界（上、下）	98.00 元
背影	28.00 元	被侮辱与被损害的人	39.00 元
边城	36.00 元	变色龙：契诃夫中短篇小说集	39.00 元
变形记 城堡	38.00 元	草叶集：惠特曼诗选	39.00 元
茶馆	32.00 元	茶花女	35.00 元
查拉图斯特拉如是说	38.00 元	沉思录	29.00 元
城南旧事	29.00 元	大卫·科波菲尔（上、下）	79.00 元
当代英雄	45.00 元	稻草人	29.00 元
地心游记	32.00 元	飞鸟集·新月集：泰戈尔诗选	39.00 元
飞向太空港	39.00 元	福尔摩斯探案集	58.00 元
复活	42.00 元	傅雷家书	49.00 元
富兰克林自传	36.00 元	钢铁是怎样炼成的	39.00 元
高老头	39.00 元	格列佛游记	35.00 元
格林童话全集	49.00 元	给青年的十二封信	38.00 元

书名	单价	书名	单价
古希腊悲剧喜剧集（上、下）	118.00 元	海底两万里	38.00 元
红楼梦	69.00 元	红与黑	49.00 元
呼兰河传	35.00 元	呼啸山庄	39.00 元
基督山伯爵（上、下）	108.00 元	纪伯伦散文诗经典	42.00 元
寂静的春天	35.00 元	假如给我三天光明	32.00 元
简·爱	39.00 元	金银岛	35.00 元
经典常谈	29.00 元	荆棘鸟	45.00 元
静静的顿河	128.00 元	镜花缘	49.00 元
局外人·鼠疫	38.00 元	菊与刀	35.00 元
克雷洛夫寓言	32.00 元	宽容	32.00 元
昆虫记	39.00 元	老人与海	32.00 元
理想国	45.00 元	聊斋志异	55.00 元
了不起的盖茨比	38.00 元	列那狐的故事	39.00 元
猎人笔记	38.00 元	林肯传	39.00 元
鲁滨逊漂流记	39.00 元	鲁迅杂文选集	36.00 元
绿山墙的安妮	36.00 元	罗马神话	16.80 元
罗生门	39.00 元	骆驼祥子	32.00 元
美丽新世界	35.00 元	名人传	39.00 元
拿破仑传	49.00 元	呐喊	29.00 元
牛虻	38.00 元	欧·亨利短篇小说选	36.00 元
欧也妮·葛朗台	32.00 元	彷徨	32.00 元
培根随笔全集	38.00 元	飘（上、下）	88.00 元
普希金诗选	42.00 元	骑鹅旅行记	36.00 元
乞力马扎罗的雪	39.80 元	热爱生命·海狼	38.00 元

书名	单价	书名	单价
人间草木：汪曾祺散文精选	49.00 元	人类群星闪耀时	36.00 元
人性的弱点	39.00 元	日瓦戈医生	68.00 元
儒林外史	42.00 元	三个火枪手	59.00 元
三国演义	59.00 元	沙乡年鉴	42.00 元
莎士比亚喜剧悲剧集	49.00 元	少年维特的烦恼	28.00 元
神秘岛	48.00 元	神曲（共三册）	128.00 元
十日谈	68.00 元	世说新语（上、下）	89.00 元
双城记	45.00 元	水浒传	69.00 元
四世同堂（上、下）	78.00 元	苔丝	39.00 元
谈美	35.00 元	谈美书简	36.00 元
汤姆·索亚历险记	32.00 元	汤姆叔叔的小屋	45.00 元
唐诗三百首	39.00 元	堂吉诃德	78.00 元
天方夜谭	42.00 元	童年	38.00 元
童年·在人间·我的大学	49.00 元	瓦尔登湖	36.00 元
我是猫	39.00 元	乌合之众	35.00 元
物种起源	42.00 元	雾都孤儿	44.00 元
西顿野生动物故事集	38.00 元	西游记	62.00 元
希腊古典神话	49.00 元	乡土中国	36.00 元
小妇人	45.00 元	小王子	29.00 元
星星离我们有多远	35.00 元	喧哗与骚动	58.00 元
羊脂球	38.00 元	一九八四	36.00 元
一间自己的房间	36.00 元	伊利亚特	82.00 元
伊索寓言：555 则	36.00 元	尤利西斯	58.00 元
约翰·克利斯朵夫（上、下）	98.00 元	月亮和六便士	45.00 元

书名	单价	书名	单价
战争与和平（上、下）	108.00 元	朝花夕拾	22.00 元
中国民间故事	39.00 元	子夜	49.00 元
最后一课	36.00 元	罪与罚	66.00 元